> ケイスメソッド

刑法総論

船山　泰範
清水　洋雄　編
中村　雄一

不磨書房

は し が き

　刑法学では，なぜいろいろな議論があり，学説が分かれているのでしょうか。それは，一つの事例＝CASE についても，いろいろな側面があり，また見方を変えると評価が変わるからです。

　たとえば，ある人が病院のベッドで息を引き取ったとします。死因が老衰なら事件にはなりませんが，手術を受けた後で死亡したとなれば事情は異なってきます。仮に手術は成功したが，麻酔医が麻酔の量を誤ったために死亡したとなれば，医療過誤の可能性があります。ただし，それだけで決着がつくわけではありません。そもそも何のために手術をすることになったのかという点も忘れてはならないことです。病院に運ばれてきた理由が，知人と争った際にナイフで刺されたのであるとすれば，ナイフで刺した人が死の原因をつくったとみれないわけではありません。このように，一つの CASE でもその発生の原因や背景によって法的な評価も異なる可能性があるのです。

　そこで，本書は，CASE から刑法上の論点を探り出し，どこに問題があるかを明らかにするという手法で編集をしたのです。読者が実際に使用するにあたっては，「本書の使い方」を読んだ上で活用して下さい。

　　　　　　　　　　　　　　　　　　　　平成15年　啓蟄

　　　　　　　　　　　　　　　　　　船　山　泰　範
　　　　　　　　　　　　　　　　　　清　水　洋　雄
　　　　　　　　　　　　　　　　　　中　村　雄　一

本書の使い方

1 常に全体的な視野から

　本書は，刑法の解釈問題につき，具体的事例を通して考え，理解してほしいという趣旨から編まれたものである。自分で勉強する場合ばかりでなく，ゼミナールなどで演習問題として使って頂くことを期待している。そこで，CASEはおおむね判例を下地にしているが，問題を浮き彫りにするため，設例として作成したものもある。本書を用いるにあたっては，まずCASEをよく読んで，どこに問題があるかを自分なりに考えてほしい。その際に注意すべきは，それぞれの項目名にあまりとらわれず，常に全体的な視野から考察する必要があるということである。というのは，それぞれの項目名はCASEがそのような論点を含むというだけであって，それに尽きるということはないからである。

　たとえば，*No. 44*の「打撃の錯誤と故意の個数」をみよう。このようなCASEを出すと，とかく，どこに錯誤があって何の錯誤かという点に目が注れるが，大切なことは，どこが錯誤の問題であって，どこは錯誤の問題でないかを見極めることである。つまり，このCASEにおいて秘書Cに関して事実の錯誤としてとらえたとすれば，それは失敗なのである。

2 各項目の構成

　CASEをみて問題がどこにあるかの見当がついたならば（見当がつかない場合ももちろん），［問題のありか］でそれを確かめるとよい。ここでは，事実から論点を抽出するプロセスを描いているつもりだ。付随的問題についても整理している。

　次に，［判決・決定の要旨］を掲げているが，これは問題についての結論という趣旨ではなく，考察し，議論する場合に，このような立場があることを踏まえて，自分の姿勢を示す必要があるということである。

　［論点の検討］では，いくつかの見解を示しつつ，必ず分担執筆者の結論を示すことにした。いろいろ見解が示されながら，それではどう考えたらよいのかという段になると不明，ということがないようにしたつもりである。

　［関連判例］は，CASEに対して直接的な答えにはならないとしても，結論に

なんらかの意味で結びついたり，考察の幅を広げるのに役立つものを掲げている。

　［設問］では，論点の理解に役立つように，応用問題を用意している。

3　問題は法律論だけでは解けない

　私たちがゼミナールで演習形式の授業をしていると，いわば法律論だけで問題の決着をつけようとする人が意外と多いことに気づく。

　たとえば，「AとBは共謀して，BがC宅に侵入して金目の物を盗むことにし，AはC宅の外で見張り行為をしていた。」という例において，「見張り」とはどういうことか。見張りとは，通常，Bが安心して（？）窃盗ができるように見ているだけでなく，なんらかの妨害が入ろうとしたときはそれを阻止し，また，BがC宅内で反撃にあっていることがわかれば助けに行くようなことも含んでいるのである。そのような犯罪現象の実態を考えず，見張りをただ見ているだけだと捉えたりするものだから，見張りは，窃盗の幇助なのか，それとも，Aは窃盗の共謀共同正犯なのかという議論に陥ってしまうのである。

　では，どう解釈するべきか。私は，むしろ，例外的な場合を除いて，見張りは住居侵入・窃盗の行為の一部をなすものであり，「一部行為の全部責任」の法理にもとづいて共同正犯（実行共同正犯）にあたると解する。

4　論理的順序の大切さ

　事例問題を解く場合に，忘れてならないのが，論述あるいはまとめ方の順序である。大切なことは論理的順序である。

　たとえば，「DはEがFから一方的に木刀で殴打されて，頭から血を流しているのを見て，Eを助けるため，とっさに持っていた傘でFの頭部を打ち，Fに全治3週間のけがを負わせた。DとFの罪責はどうなるか。」という例において，DとFのどちらかの罪責から検討するべきか。答はFからである。それは，Dの正当防衛を検討する際，急迫不正の侵害の有無が問題となるが，その「不正」はFの行為についての評価であるから，Fから検討する必要がある。

目　　次

はしがき
本書の使い方

第 1 章　刑法の基礎
I　罪刑法定主義・刑法の解釈
No. 1　刑罰法規の明確性——徳島市公安条例事件 ……………………… *2*
No. 2　刑罰法規の明確性・広汎性——福岡県青少年保護育成条例事件 … *4*
No. 3　刑罰法規の委任——猿払事件 ………………………………………… *6*
No. 4　判例の不遡及的変更——岩教組同盟罷業事件 …………………… *8*
No. 5　刑法の解釈①——「捕獲」の意義 ………………………………… *10*
No. 6　刑法の解釈②——「人家稠密ノ場所」の意義 …………………… *12*
II　刑法の効力
No. 7　共犯と国外犯規定 …………………………………………………… *14*
No. 8　刑の変更 ……………………………………………………………… *16*
III　両罰規定と法人の犯罪能力
No. 9　法人の刑事責任 ……………………………………………………… *18*

第 2 章　構成要件該当性
I　不作為犯
No. 10　不作為による放火罪 ……………………………………………… *22*
No. 11　不作為による殺人罪 ……………………………………………… *24*
II　因果関係
No. 12　他人の故意行為の介入——米兵ひき逃げ事件 ………………… *26*
No. 13　他人の行為の介入——大阪南港事件 …………………………… *28*
No. 14　被害者の特殊事情の介在 ………………………………………… *30*
No. 15　被害者の行為の介入——柔道整復師事件 ……………………… *32*

vii

目　次

　　No. 16　不作為の因果関係 ………………………………………………… *34*

第3章　違　法　性

Ⅰ　違法性の本質
　　No. 17　軽微な被害 ……………………………………………………… *38*
　　No. 18　争議行為──名古屋中郵事件 ………………………………… *40*

Ⅱ　正　当　行　為
　　No. 19　弁護活動──丸正名誉毀損事件 ……………………………… *42*
　　No. 20　取　材　活　動 ……………………………………………………… *44*

Ⅲ　正　当　防　衛
　　No. 21　侵害の急迫性 …………………………………………………… *46*
　　No. 22　攻撃の中断と急迫性 …………………………………………… *48*
　　No. 23　防衛の意思 ……………………………………………………… *50*
　　No. 24　防衛行為の相当性 ……………………………………………… *52*
　　No. 25　誤想防衛と過剰防衛① ………………………………………… *54*
　　No. 26　誤想防衛と過剰防衛② ………………………………………… *56*
　　No. 27　誤想過剰防衛──勘違い騎士道事件 ………………………… *58*
　　No. 28　盗犯等防止法1条1項の解釈 ………………………………… *60*

Ⅳ　緊　急　避　難
　　No. 29　現在の危難──村有吊橋爆破事件 …………………………… *62*
　　No. 30　避難行為の相当性 ……………………………………………… *64*
　　No. 31　過剰避難──狩勝トンネル事件 ……………………………… *66*

Ⅴ　超法規的違法性阻却事由
　　No. 32　被害者の承諾 …………………………………………………… *68*
　　No. 33　安楽死──東海大学安楽死事件 ……………………………… *70*
　　No. 34　憲法上の権利①──東大ポポロ事件 ………………………… *72*
　　No. 35　憲法上の権利②──舞鶴事件 ………………………………… *74*

第4章　責　任

Ⅰ　責　任　能　力

viii

No. 36	責任能力の判定基準	78
No. 37	過失犯と原因において自由な行為	80
No. 38	故意犯と原因において自由な行為	82
No. 39	限定責任能力（心神耗弱）と原因において自由な行為	84
No. 40	実行行為と責任能力	86

Ⅱ 故　　意

No. 41	未必の故意	88
No. 42	条件付故意	90
No. 43	意味の認識	92

Ⅲ 錯　　誤

No. 44	打撃の錯誤と故意の個数	94
No. 45	因果関係の錯誤——砂末吸引事件	96
No. 46	抽象的事実の錯誤	98
No. 47	違法性の意識——百円札サービス券事件	100
No. 48	規範的構成要件要素の錯誤——チャタレー事件	102
No. 49	事実の錯誤と法律の錯誤①——たぬき・むじな事件	104
No. 50	事実の錯誤と法律の錯誤②	106
No. 51	事実の錯誤と法律の錯誤③	108
No. 52	法律の不知	110

Ⅳ 過　　失

No. 53	過失犯処罰と明文の要否	112
No. 54	予見可能性の意義——北大電気メス事件	114
No. 55	予見可能性の対象	116
No. 56	予見可能性の有無——近鉄生駒トンネル火災事件	118
No. 57	信頼の原則	120
No. 58	注意義務の存否	122
No. 59	監督過失——大洋デパート事件	124
No. 60	業務上過失致死傷罪における業務の意義	126

Ⅴ 期待可能性

No. 61	構成要件解釈と期待可能性	128

目　次

第5章　未　　遂

I　実行の着手
- *No. 62*　強姦の着手時期 …………………………………… *132*
- *No. 63*　間接正犯の着手時期 ……………………………… *134*

II　中　止　犯
- *No. 64*　中止の任意性 ……………………………………… *136*
- *No. 65*　中　止　行　為 …………………………………… *138*
- *No. 66*　着手未遂と実行未遂 …………………………… *140*
- *No. 67*　実行行為の終了時期と中止犯の成否 ……… *142*
- *No. 68*　結果防止への真摯な努力 ……………………… *144*

III　不　能　犯
- *No. 69*　絶対的不能と相対的不能 ……………………… *146*
- *No. 70*　方法の不能――空気注射事件 ………………… *148*

第6章　正犯と共犯

I　間　接　正　犯
- *No. 71*　刑事未成年者の利用 …………………………… *152*
- *No. 72*　コントロールド・デリバリーと間接正犯の成否 ……… *154*

II　共　同　正　犯
- *No. 73*　12歳の少年利用と共同正犯 …………………… *156*
- *No. 74*　共謀共同正犯――練馬事件 …………………… *158*
- *No. 75*　見張りと共同正犯 ………………………………… *160*
- *No. 76*　過失の共同正犯 …………………………………… *162*
- *No. 77*　結果的加重犯の共同正犯 ……………………… *164*
- *No. 78*　承継的共犯① …………………………………… *166*
- *No. 79*　承継的共犯② …………………………………… *168*
- *No. 80*　共同正犯と過剰防衛 …………………………… *170*

III　教唆犯・従犯
- *No. 81*　不作為による幇助 ……………………………… *172*

目　次

- *No. 82*　幇助の因果関係 …………………………………… *174*
- *No. 83*　間　接　幇　助 …………………………………… *176*
- *No. 84*　片面的従犯 ……………………………………… *178*

Ⅳ　共犯の諸問題

- *No. 85*　身分の意義 ……………………………………… *180*
- *No. 86*　共犯と身分 ……………………………………… *182*
- *No. 87*　共犯と錯誤① …………………………………… *184*
- *No. 88*　共犯と錯誤② …………………………………… *186*
- *No. 89*　不作為の幇助 …………………………………… *188*
- *No. 90*　共犯と中止犯 …………………………………… *190*
- *No. 91*　共犯からの離脱 ………………………………… *192*
- *No. 92*　必要的共犯 ……………………………………… *194*

第7章　罪数・刑罰

Ⅰ　罪　数

- *No. 93*　接　続　犯 ……………………………………… *198*
- *No. 94*　併　合　罪 ……………………………………… *200*
- *No. 95*　併合罪，観念的競合 …………………………… *202*
- *No. 96*　不作為犯の罪数 ………………………………… *204*
- *No. 97*　牽連犯か併合罪か ……………………………… *206*
- *No. 98*　かすがい現象 …………………………………… *208*

Ⅱ　刑　罰

- *No. 99*　死刑の合憲性 …………………………………… *210*
- *No. 100*　死刑適用の基準 ………………………………… *212*

事項索引 ……………………………………………………… *215*

```
── 刑法用語ミニ辞典（総論）──         【図解】 刑法の基本原則の体系   20
  責任主義        1                       犯罪論の体系      36
  構成要件該当性と阻却事由  21              違法性阻却事由の一覧   76
  違法性の相対性    37                     さまざまな猶予制度   130
  期待可能性       77                     予備・未遂・既遂   150
  実行の着手      131                     共犯と単独犯     196
  共犯の従属性    151                     罪数の一覧      214
  併合罪その他    197
```

xi

第 1 章

刑法の基礎

責任主義
　結果に関わったというだけで処罰することは許されず，結果惹起に責めを負わすことができるだけの故意・過失のあることが責任の前提となるということ。罪刑法定主義とともに近代以降の刑法の基本原則であり，犯罪と刑罰を予め定めておきさえすれば済むのではなく，責任主義によって裏打ちされたものでなければならないという意味で，刑法の謙抑性に結びつく。

◆刑法用語ミニ辞典◆

I　罪刑法定主義・刑法の解釈

| *No. 1* | 刑罰法規の明確性——徳島市公安条例事件 |

〈CASE〉　Aは，昭和43年12月10日，徳島市内で集団示威行進に参加した際，先頭集団数十名とともに自らも蛇行進をし，さらに先頭列外付近で所携の笛を吹きあるいは両手を振って集団行進者に蛇行進をするよう扇動した。Aは，自ら蛇行進をした点は道路交通法77条3項に，集団行進者を扇動した点は徳島市公安条例3条3号にそれぞれ違反するとして起訴された。

このうち，集団行進者を扇動した点に関する徳島市公安条例につき，第一審は，同公安条例3条3号の「交通秩序を維持すること」という文言は一般的・抽象的・多義的であって，これに合理的な限定解釈を加えることは困難であるから，同規定は憲法31条に違反するとし，第二審もこの結論を維持した。そこで検察官が上告した。Aの罪責はどうなるか。

1　問題のありか

刑罰法規は，どのような行為が犯罪とされ，それに対していかなる刑罰が科されるのかが一般国民にとって予測可能な程度に明確でなければならない。これを**明確性の原則**という。

したがって，一般国民にとって不明確な刑罰法規は憲法31条に違反し無効となるが，徳島市公安条例3条3号の「交通秩序を維持すること」という文言は，はたして明確か否かが問題となった。

2　判決要旨——最大判昭50・9・10刑集29巻8号489頁

* 「ある刑罰法規があいまい不明確のゆえに憲法31条に違反するものと認めるべきかどうかは，通常の判断能力を有する一般人の理解において，具体的場合に当該行為がその適用を受けるものかどうかの判断を可能ならしめるような基準が読みとれるかどうかによってこれを決定すべきである」。

* 「本条例3条3号の規定は，確かにその文言が抽象的であるとのそしりを

免れないとはいえ，集団行進等における道路交通の秩序遵守についての基準を読みとることが可能であり，犯罪構成要件の内容をなすものとして明確性を欠き憲法31条に違反するものとはいえない」。

3　論点の検討

　刑罰法規は，国民に対しては処罰される行為は何か，そしてどのような場合に当該刑罰法規が適用されるのかを示すことによって，国民の自由の保障に資するものでなければならないと同時に，国家に対してはその恣意的運用を抑制する働きをもつものでなければならない。そのためには刑罰法規は明確である必要がある。不明確な刑罰法規は国民の予測可能性を害し，ひいては人権保障を危くするだけでなく，刑事司法担当者による刑罰法規の恣意的運用を招くおそれがあるからである。そこで，刑罰法規が抽象的・多義的で不明確な規定であると思われる場合には**罪刑法定主義**の原則に反し，憲法31条違反となる。

　ところで，刑罰法規が明確か否かは何によって判断されるのだろうか。この点について前記最高裁大法廷判決は，「通常の判断能力を有する一般人の理解において，具体的場合に当該行為がその適用を受けるものかどうかの判断を可能ならしめるような基準が読みとれるかどうか」を判断基準とした。

　刑罰法規は裁判規範として働くと同時に，一般国民に対する行為規範として働くものである。したがって，判断基準に「通常の判断能力を有する一般人」を措定することは妥当な方法といえるだろう。言い換えるならば，刑罰法規が明確か明確でないかは社会通念で判断すべきことになる。ゆえに社会通念で判断できない刑罰法規は，国民の予測可能性を奪い，違憲・無効となる。

　では，「交通秩序を維持すること」という文言は，社会通念からみて明確といえるだろうか。結論的に言えば，一般通常人がこの文言の予定する禁止行為の内容を具体的にかつ容易に思い浮かべることができるかどうかは，はなはだ疑わしいだろう。この文言は単に抽象的に交通秩序を維持することを命じているに止まり，いかなる作為・不作為を行為者に命じているかその内容が明確にされてはいないからである。「交通秩序を維持すること」という文言は不明確であるとの誹りを免れないだろう。しかも，交通秩序を侵害する行為の典型例を例示列挙することなどにより文言を明確にすることが十分に可能であることを考えれば，本規定は憲法31条に違反し無効であるといわざるをえない。したがって，Aは無罪となるべきものと思われる。

| No. 2 | 刑罰法規の明確性・広汎性 ——福岡県青少年保護育成条例事件 |

〈**CASE**〉 A（26歳）は、B子が16歳の女子高校生であることを知りながら、B子とホテルの客室で性交した。このことが福岡県青少年保護育成条例10条1項の「何人も、青少年に対し、淫行又はわいせつの行為をしてはならない」という条項に違反したとして、Aは第一審において5万円の罰金刑が言い渡され、第二審もこの結論を維持した。

これに対しAは、同条例の処罰規定は、結婚を前提とする真摯な合意に基づくような場合も含めて一律に規制しようとするものであるから、処罰の範囲が不当に広すぎ、また「淫行」の意味も不明確であるから、同条例は憲法31条に違反するとして上告した。Aの罪責はどうか。

1 問題のありか

刑罰法規は、刑法の**謙抑性の原則**・補充性の原則から、網羅的ではなくむしろ断片的であることが必要とされている。この観点からするならば、本条項は何の限定もなく、ただ「淫行又はわいせつな行為をしてはならない」とだけ規定されているので、これでは処罰の範囲が広すぎはしないか、という問題が生ずる。さらに、「淫行」という文言自体かなり不明確なものではないか、という点も問題となろう。

2 判決要旨——最大判昭60・10・23刑集39巻6号413頁

* 「本条例10条1項の規定にいう『淫行』とは、広く青少年に対する性行為一般をいうものと解すべきではなく、青少年を誘惑し、威迫し、欺罔し又は困惑させる等その心身の未成熟に乗じた不当な手段により行う性交又は性交類似行為のほか、青少年を単に自己の性的欲望を満足させるための対象として扱っているとしか認められないような性交又は性交類似行為をいう」。

* 「このような解釈は通常の判断能力を有する一般人の理解にも適うものであり、『淫行』の意義を右のように解釈するときは、同規定につき処罰の範囲が不当に広過ぎるとも不明確であるともいえないから、本件各規定が憲法

31条の規定に違反するものとはいえ」ない。
3　論点の検討
　刑罰法規は国民の予測可能性を保障するため明確なものでなければならず，不明確な刑罰法規は憲法31条に違反し無効となる（明確性の原則）と同時に，構成要件が広汎すぎて処罰に値しない行為までをも処罰の対象に取り込んでいる場合も憲法31条違反となり無効とされる（非広汎性の原則）。

　ところで，本判決は「淫行」という文言を限定的に解釈し，①青少年の心身の未成熟に乗じた不当な手段により行う性行為と，②青少年を単に自己の性的欲望を満足させるための対象として扱っているとしか認められないような性行為をもって「淫行」とした。そして，このような解釈は通常の判断能力を有する一般人の理解に適うとした。しかし，**明確性の原則**や**非広汎性の原則**からみて，はたして本判決は妥当なものといえるであろうか。

　ある刑罰法規が不明確のゆえに違憲・無効であるという結論を避けるために，判例がしばしばとった方法として**合憲限定解釈**がある。これは刑罰法規が仮に不明確であっても，裁判所が限定解釈を施すことによって合憲と認められる部分を抽出し，行為者がそれに違反していれば有罪を認定するという方法である。本判決はまさにこの方法をとったものといえる。この解釈方法が一般人にも可能であり，国民の予測可能性に何の支障もきたさないというならば問題はない。しかし合憲限定解釈は極めて高度な解釈技術であり，一般人にはほとんど不可能な解釈方法であろう。明確性の原則は解釈による明確性をいうのではなく，法文自体の明確性をいうものとされるべきである。したがって，本判決の「淫行」という文言は不明確といわざるをえない。

　しかし，仮に「淫行」の概念を前記①②のように限定解釈することができたとしても，それでも問題が残ることは否定できないであろう。なぜなら，①の類型については，確かに刑法の強制わいせつ罪，強姦罪との整合性を図ることは可能であると思われるが，しかしこのような解釈はもはや解釈の域を超えた立法の問題であろうし，②の類型については，そもそも性行為は自己の性的欲望を満足させるためになされるのが通常であろうから，②の類型は可罰的淫行概念を限定する作用を果たしているとは言い難く，処罰範囲は不当に広すぎると思われるからである。

　以上から本条例は憲法31条に違反し無効であり，Aは無罪となるべきである。

No. 3　刑罰法規の委任——猿払事件

〈CASE〉 北海道宗谷郡猿払村の郵便局に勤務する郵政事務官Aは，昭和42年の衆議院議員選挙に際し，特定の政党を支持する目的で，同党公認候補者の選挙用ポスターを掲示したり，配布したりした。国家公務員法102条1項は「職員は，政党又は政治的目的のために……人事院規則で定める政治的行為をしてはならない」と規定し，この委任に基づいて人事院規則14-7「政治的行為」が具体的内容を定めている。そして，これに違反すれば，同法82条による懲戒処分を科され，また，同法110条1項19号によって刑罰が科されることになる。そこでAの行為は当該規則5項3号，6項13号に該当するとして起訴された。Aの罪責はどうなるか。

1　問題のありか

国家公務員法102条1項は公務員の政治的行為を禁止し，違反者には懲戒および刑罰を科すことにしているが，この政治的行為の内容は人事院規則に委ねられている。そこで，法律自体が刑罰を科されるべき政治的行為の細目を示さず，下位の法規である人事院規則に委ねていることは憲法31条に違反するのではないか，そして，この人事院規則への委任は懲戒処分の対象となる行為と刑罰の対象となる行為を区別せず一体的になされているが，このようなことは，はたして許されるかどうかが問題となった。

2　判決要旨——最大判昭49・11・6刑集28巻9号393頁

＊ 国公法102条1項および110条1項19号の罰則は憲法21条および31条に違反するものではなく，「政治的行為の定めを人事院規則に委任する国公法102条1項が，公務員の政治的中立性を損うおそれのある行動類型に属する政治的行為を具体的に定めることを委任するものであることは，同条項の合理的な解釈により理解しうるところである。そして，そのような政治的行為が，公務員組織の内部秩序を維持する見地から科される懲戒処分を根拠づけるに足りるものであるとともに，国民全体の共同利益を擁護する見地から科される

刑罰を根拠づける違法性を帯びるものである……から，右条項は，それが同法82条による懲戒処分及び同法110条1項19号による刑罰の対象となる政治的行為の定めを一様に委任するものであるからといって，そのことの故に，憲法の許容する委任の限度を超えることになるものではない」。

3　論点の検討

憲法31条は，刑罰法規は「法律」でなければならない旨規定する。そして，ここでいう法律とは，国会で制定された狭義の法律を意味するのである。しかし，複雑多様な法的諸問題に対する国会の立法による解決には限界がある。また，高度な専門性と解決の迅速性等が要求される問題については，行政機関による解決に委ねる必要も出てこよう。憲法73条6号但書も，とくに法律の委任がある場合には政令に罰則を設けることができると規定している。

そこで問題となるのが，罰則の特定委任の限界である。本判決は，「政治的行為の定めを人事院規則に委任する国公法102条1項が，公務員の政治的中立性を損うおそれのある行動類型に属する政治的行為を具体的に定めることを委任するものであることは，同条項の合理的な解釈により理解しうる」とし，さらに，同条項が人事院規則に懲戒処分と刑罰の対象となる特定の政治的行為を一様に委任している点についても，憲法の許容する委任の限度を超えるものではないとした。

CASEについては，委任の特定性には何ら問題はなく，また，同一の行為に対して行政的な制裁と刑事制裁とを同様に科すことについてもとくに問題とされるべきではないとして，本判決に賛意を表する見解も少なくない。確かに人事院規則は国公法により「政治的行為」についてその内容の具体化を委任され，同規則もその内容を詳細に規定しているのであるから，委任の特定性には問題はないともいえよう。しかし，国公法が政治的行為につき懲戒処分を受けるものと刑罰を受けるものとを区別せず，一律一体として人事院規則に委任することは，犯罪構成要件を委任する部分については違憲であるとする反対意見があることに注目しなければならないだろう。懲戒処分と刑事処分とでは後者の方が委任の範囲についてより一層明確なものが必要とされるといわなければならない。したがって，これら両者を同一の基準で人事院規則に委任している国公法の規定は違憲・無効というべきであり，Aは無罪とされるべきである。

第 1 章 刑法の基礎

No. 4　判例の不遡及的変更——岩教組同盟罷業事件

〈CASE〉　岩手県教職員組合の執行委員長Ａは，昭和49年4月11日に行われた日教組の統一行動に際し，地公法上の争議行為をあおり，そしてあおりを企てたことにより起訴された。この当時最高裁は国家・地方公務員の争議行為禁止に関し，昭和44年の全司法仙台事件と都教組事件大法廷判決において，いわゆる「二重の絞り論」を採用し，あおり行為処罰の要件を厳格に絞っていた。しかし，昭和48年に最高裁は国公法違反事件である全農林警職法事件において判例を変更し「二重の絞り論」を否定したが，地公法違反に関する都教組事件判決は，明示的には変更されてはいなかった。Ａの実行行為はちょうどこの時期に行われた。なお，地公法違反事件において「二重の絞り論」が否定されたのは，昭和51年の岩教組学テ事件判決（最判昭51・5・21刑集30巻5号1178頁）においてである。Ａの罪責はどうか。

1　問題のありか

　罪刑法定主義の原則は憲法39条に規定している**遡及処罰の禁止**もその内容とする。これは行為後に施行された法律によってそれ以前の行為を処罰することは許されないとするものである。したがって，いかに社会的非難を受ける行為であっても，行為時に当該行為を処罰する規定が存在しない場合には，事後にその行為を処罰する規定ができたとしても，その規定を遡らせて当該行為を処罰することはできないし，また，事後の立法によって刑が加重された場合でも，その刑によって処罰することはできないのである。
　ところで，この原則は判例変更の場合にも適用されるであろうか。つまり，行為時の最高裁の法解釈によれば無罪となる行為が，事後の判例変更による新たな法解釈の遡及適用を受け有罪とされることは，憲法39条に違反することになるのではないかが問題となるのである。

2　判決要旨——最判平8・11・18刑集50巻10号745頁

＊「行為当時の最高裁判所の判例の示す法解釈に従えば無罪となるべき行為

を処罰することが憲法39条に違反する旨をいう点は，そのような行為であっても，これを処罰すること」は「憲法の右規定に違反しない」。

3 論点の検討

遡及処罰の禁止と判例変更との関係を論ずる場合，判例の法源性を認めるか否かが極めて重要な問題となる。罪刑法定主義の要請の1つである法律主義を標榜するわが国においては，判例が――とくに刑法の分野において――原則として法源性を持ちえないのは当然のことといえる。このことは，裁判所法が，上級審の裁判所の判断が下級審の裁判所を拘束するのは「その事件」に限られるとしていることからもうかがえる。しかし，現実には判例に一定の先例拘束性が認められていることもまた事実である。われわれは，その先例に従った判断をすることによって**法的安定性**を得，将来の予測を可能にするのである。さらに，裁判所法も，最高裁判所が判例を変更する場合，当該事件は15人の裁判官全員で構成される大法廷で扱われなければならないこととしており，判例変更にはきわめて慎重な態度をとっている。この意味において，判例の法源性を認めることは可能であり，また重要でもある。

一方，三権分立を採用しているわが国においては，判例は刑法の法源たりえないとして遡及処罰を認め，せいぜい故意もしくは違法性の意識の可能性の欠如を理由として被告人を救済すべきであるとする見解も有力に唱えられている。つまり，故意もしくは違法性の意識の可能性の欠如による被告人救済は，要するに錯誤論で行うということであろうが，被告人が行為した時点の判例によれば，当該行為は犯罪になっていなかったのであるから，錯誤はなかったのである。したがって，錯誤論で解決するのは筋違いということになる。

結局，前述のように，実質的にみれば判例の法源性を否定することはできないであろう。とくに最高裁判所の判例が国民の行為の準則として機能していることも疑いがない。国民の**予測可能性**を保障し同時に法的安定性の確保を図るという見地からすれば，被告人に不利益に変更された判例は将来にわたって宣言するにとどめ，当該事件には適用しないとされるべきである。つまり，被告人に不利益に変更された判例による遡及処罰は禁止されるべきなのである。ただし，この判例の不遡及的変更は確立されたと判断することができる判例を変更する場合に限って認めるべきことになろう。Aは無罪とされるべきである。

第1章　刑法の基礎

No. 5　刑法の解釈①——「捕獲」の意義

〈CASE〉　Aは，静岡県内の河川敷において，自己の食用に供する目的で，洋弓銃（クロスボウ）を使用してマガモあるいはカルガモを狙って矢4本を発射したが，いずれも命中せず，カモを捕えることはできなかった。Aのこの行為は「鳥獣保護及狩猟ニ関スル法律」（鳥獣法）1条ノ4第3項およびその委任を受けた環境庁告示第43号の3号リで定める「弓矢を使用する方法による捕獲」の禁止に違反するとして起訴された。Aの罪責はどうか。

なお，鳥獣法1条ノ4第3項は「環境庁長官又ハ都道府県知事ハ狩猟鳥獣ノ保護蕃殖ノ為必要ト認ムルトキハ狩猟鳥獣ノ種類，区域，期間又ハ猟法ヲ定メ其ノ捕獲ヲ禁止又ハ制限スルコトヲ得」と規定し，同法22条はその違反について罰則を定めている。

1　問題のありか

Aは現実にはカモを捕えることはできなかったのであるが，鳥獣法および同法の委任を受けた環境庁告示の禁止規定に違反するとして起訴された。そこでは鳥獣法の捕獲は現実に捕獲することばかりでなく，捕獲しようとする行為も含むと解釈されたが，このような解釈は，禁止されている類推解釈にあたらないかが問題とされた。

2　判決要旨——最判平8・2・8刑集50巻2号221頁

＊　「食用とする目的で狩猟鳥獣であるマガモ又はカルガモをねらい洋弓銃（クロスボウ）で矢を射かけた行為について，矢が外れたため鳥獣を自己の実力支配内に入れられず，かつ，殺傷するに至らなくても，鳥獣保護及狩猟ニ関スル法律1条ノ4第3項を受けた〔環境庁〕告示第43号の3号リが禁止する弓矢を使用する方法による捕獲に当たるとした原判断は，正当である」。

3　論点の検討

罪刑法定主義の内容の1つに**類推解釈の禁止**がある。しかし，言葉の意味の

解釈として可能な範囲であるかぎり，換言すれば，解釈が一般人の予測可能の範囲内にあるかぎり，文理を拡張して解釈する**拡張解釈**は許される。結局，「類推解釈は禁止されるが，拡張解釈は許される」とされるのである。ただ，類推解釈と拡張解釈の区別はきわめて困難である。

ところで，鳥獣法における捕獲については，従来，鳥獣を現実に捕捉するかあるいは容易に捕捉しうる状態で自己の実力支配内に帰属させることを必要とする現実捕獲説と，鳥獣を捕捉しようとする行為さえあれば足りるとする捕獲行為説とが対立していた。下級審の判例も，罪刑法定主義の原則を重視し，条文の可能な意味の範囲を超えてはならないとして現実捕獲説をとるもの，鳥獣法などの行政刑法の解釈は，立法趣旨，保護法益等を考慮し，合目的的に解釈すべきであるとして捕獲行為説をとるものとに分かれていた。

捕獲という文言の一般的意味は，「とらえること，いけどること，とりおさえること」（広辞苑第5版）とされており，捕獲しようとする行為つまり捕獲未遂を含んだ意味は出てこない。したがって，捕獲に捕獲未遂を含んだような解釈は，言葉の意味の解釈として可能な範囲を超えているといえるだろう。

ただ，鳥獣法には捕獲の意味として捕獲行為も含むと解釈しなければ立法趣旨からして不合理であると思われる条項も存在するといわれている。それに，行政刑罰法規は，社会の変化への敏速な対応や，行政取締目的の達成などから，処罰の必要性・合理性が強調される傾向にあり，このような観点からは捕獲行為説が妥当ということになる。

しかし，だからといって，処罰の必要性を感ずるから即処罰とすることはできない。立法措置がとられるのであればともかく，解釈で処罰の範囲を拡大することには限界があることを自覚すべきである。文理や日常用語を大きく離れた解釈は，一般人の予測可能性を奪うことになり，解釈可能範囲から逸脱することになるから，許されるべきではない。処罰の必要性と処罰の実行とは区別されなければならない。このような観点からするならば，捕獲という文言は，あくまで現実捕獲説で解釈されるべきである。捕獲に捕獲未遂の形態を含むと解釈するのは，一般人の予測可能性の範囲を逸脱した許されない類推解釈といわざるをえないだろう。このような行為を処罰の対象とするには，新たな立法がなされるべきである。立法の怠慢を解釈で補おうとする態度は本末転倒であり，厳に慎むべきである。したがって，Aは無罪とされるべきである。

No. 6 刑法の解釈②——「人家稠密ノ場所」の意義

〈CASE〉 Aは平成6年11月，富山市において，主要道路から農家へ通じる私道上で，同所に駐車中の自動車内から道路脇の田んぼに降りていたキジを狙って所携の散弾銃を発射した。なお，Aが散弾銃を発射した地点から半径約200m以内には約10軒の人家が存在していた。

「鳥獣保護及狩猟ニ関スル法律」（鳥獣法）16条は「日出前若ハ日没後，市街其ノ他人家稠密ノ場所若ハ衆人群集ノ場所ニ於テ又ハ銃丸ノ達スヘキ虞アル人畜，建物，汽車，電車若ハ艦船ニ向テ銃猟ヲ為スコトヲ得ス」とし，同法21条1項1号がその違反者に対して1年以下の懲役または50万円以下の罰金を科す旨規定している。Aの罪責はどうか。

1 問題のありか

半径200m以内に人家が約10軒存在している地域内で，狩猟のために散弾銃を発射したAの行為は，鳥獣法の禁止する「人家稠密ノ場所」での銃猟に当たるか否かが問題とされた。なお，CASEの第一審・第二審とも，Aの行為は「人家稠密ノ場所」での銃猟に当たるとしている。

2 決定要旨——最決平12・2・24刑集54巻2号106頁

＊ 「鳥獣保護及狩猟ニ関スル法律16条が『市街其ノ他人家稠密ノ場所』等における銃猟を禁止しているのは，このような場所において銃器を使用して狩猟をすることが他人の生命，身体等に危険を及ぼすおそれがあるので，これを防止することなどを目的とするものである。したがって，同条にいう『人家稠密ノ場所』に該当するか否かは，右のような同条の趣旨に照らして判断すべきところ，原判決の認定及び記録によると，被告人が狩猟のため散弾銃を発射した場所は人家と田畑が混在する地域内にあり，発射地点の周囲半径約200m以内に人家が約10軒あるなどの状況が認められるのであるから，右場所が『人家稠密ノ場所』に当たるとした原判断は相当である」。

3 論点の検討

国民の予測可能性の範囲を超える解釈は**類推解釈**として許されないが，言葉の意味の解釈として可能な範囲内である限りは，その解釈は**拡張解釈**として許される。そこで，半径200m以内に約10軒の人家が存在する場合，それを「人家稠密」といえるか，そしてそのような解釈は許されない類推解釈とはならないかが問われなければならない。

　本件については多くの説が判例の見解を支持している。たとえば，一定数の人家が存在する場所で銃器を使用することは，周囲の住民の生命・身体等に危険を及ぼす可能性が高く，また，銃を発射する方向に特定の客体が存在しなくても，それ自体として危険な行為であり規制すべきものである。さらに，人家が集まっている場所で銃を発射した場合に，それらの建物内の住人や付近を往来する住民に誤って銃弾が当たる一定程度以上の可能性がある場所であれば，本条の「稠密」に当たると解しうる。そして，このような行為を処罰したとしても，国民の予測を裏切ることにはならず，本決定の結論は許容範囲にある合目的的な拡張解釈であるとする。

　ところで，「稠密」とは「多く集まって混み合っている様子」を意味するが，人家がどの程度集まっていれば「稠密」といえるかについては，法文上からは必ずしも明確であるとは言い難い。その意味ではそもそもこの文言は**明確性の原則**から疑問があるといわざるをえない。

　それに，半径200m以内に人家が約10軒存在しただけでは，一般的用語例からすれば稠密とはいえないだろう（半径200mの土地ならば約300m^2（約100坪）の家が400軒程度建つ計算になる）。また，鳥獣法16条には「人家稠密ノ場所」の前後に「市街」と「衆人群集ノ場所」という文言がある。このうち「市街」は人家が多く集まっている場所を指すであろうし，「衆人群集ノ場所」は人そのものが多数存在している場所をいうであろう。したがって「人家稠密ノ場所」という文言も，これらと同様に解釈されなければならず，「人家が多く集まって建て混んでいる場所」と解釈するのが正当であろう。

　確かに **CASE** のような場合，処罰の必要性はあるかもしれない。ならば立法をすればよい。立法の怠慢を解釈で補うことは許されない。つまり，一般人の予測可能の範囲を逸脱する解釈は許されないのである。本決定のような解釈は許されない類推解釈といわざるをえないだろう。したがって，Aは無罪とされるべきである。

II 刑法の効力

No. 7 　共犯と国外犯規定

> **〈CASE〉** 外国人Aは，日本人Bから依頼を受け，Bに拳銃トカレフ1丁を手渡した。拳銃が譲渡された場所は外国であった。この拳銃を使いBは日本国内で暴力団の組長Cを射殺した。外国人Aを殺人幇助罪として日本刑法で処罰することは可能か。

1　問題のありか

　狭義の共犯（教唆，幇助）の犯罪地をどう捉えるかが本問の論点である。仮に，日本国内で外国人AがBに拳銃トカレフを手渡していれば，1条1項により国内犯であるから，殺人幇助罪（199条・62条1項）で処罰される。しかし，CASEでは，AがBに拳銃を手渡したのは外国である。
　刑法の**場所的適用範囲**については，**属地主義**（国内犯。1条1項）を原則とし，ほかに属人主義（3条・4条），保護主義（2条），世界主義（4条の2）を採用している。これらの規定については実行行為者（正犯）を前提にして議論されてきた。しかし，共犯に対する刑法の場所的適用範囲については，明確な定めがない。本問では，共犯と属地主義の関係が問題となる。

2　論点の検討

　1条1項は，日本国内において罪を犯した者に対し刑法を適用する旨を定め，属地主義を宣言している。それでは，Bを国外で幇助したAは「日本国内において」罪を犯したと言えるであろうか。まず正犯と属地主義の関係を手がかりに検討する。1条1項を厳格に解釈すれば，日本領域内で正犯が実行行為を行い，結果を惹起した場合だけが**国内犯**となる。しかし，犯罪の国際化を勘案すると，属地主義をそこまで厳格に解するのは妥当ではない。2つの考え方がある。1つは，国内において実行に着手し結果が国外で発生した場合か国外で実行に着手し国内で結果が生じた場合，さらに実行の着手と結果発生は国外であ

るがその経過の一部が国内にかかる場合を，国内犯と捉える考え方である（遍在説）。もう1つは，結果が国内で発生した場合を国内犯とする考え方である（結果説）。前者は構成要件という枠を，後者は因果関係を重視する。このように，正犯の場合，その形態によって属地主義が緩和される。

　以上を踏まえて，国外における狭義の共犯について検討する。結果説であれば，国外における狭義の共犯は容易に国内犯となろう。国外におけるAの幇助行為は国内で発生した結果と因果関係があるからである。遍在説でも，Aは国内犯となろう。たしかに遍在説では，因果関係だけでなく，共犯従属性や，狭義の共犯が修正された構成要件である点が重視される。しかし，国内を中継する犯罪に対する狭義の共犯も遍在説は認めることになるため，結果説よりも広く国内犯を認めることになろう。

　このように，1条1項は，正犯だけでなく，国外における狭義の共犯も含まれるとする解釈は不可能ではない。そうなると，国外における狭義の共犯が国内犯となる範囲は，正犯よりもかなり広範囲になる。それだけ日本刑法の適用範囲は属地を超えて世界各国へ広がることになる。加えて，国外における狭義の共犯をめぐり，外国とわが国の裁判権が競合する事態が正犯より増えることになろう。理論で明確に解決できない以上，罪刑法定主義の原則に立ち返るべきであろう。共犯の国外犯規定を立法で明確に提示して，行為者には処罰の告知をし，外国にはわが国の処罰意思を明らかにすべきである。あわせて，外国の裁判所や捜査機関と協力体制を確立すべきである（国際司法共助）。こうした観点から，外国人Aには日本刑法は適用されない。

3　関連判例——最判平6・12・9刑集48巻8号576頁

　国外で覚せい剤を譲渡した者が，覚せい剤取締法の営利目的覚せい剤輸入罪の幇助の罪に問われた事案で，最高裁は「日本国外で幇助行為をした者であっても，正犯が日本国内で実行行為をした場合には，刑法1条1項の『日本国内ニ於テ罪ヲ犯シタル者』に当るべきと解すべきである」と判示した。共犯の犯罪地の問題が1条1項の解釈にあることを示唆したものの，その根拠については言及がない。なお現在では，平成3年の覚せい剤取締法改正により，国外で覚せい剤譲渡行為をした者は何ぴとも処罰されることになった（覚せい剤取締法41条の2・41条の12，刑法2条を参照）。しかし，それ以前は，国外における覚せい剤譲渡行為を取り締まる規定は存在しなかった。

第1章 刑法の基礎

No. 8　刑 の 変 更

〈CASE〉 多額の負債を抱えていたAは，金策のためにAの実母であるBを訪れ借金を願い出た。しかし，BはAに対し，自分の責任で借金を返すよう説教した。これに激怒したAはBに殴る蹴るの暴行を加えた。Bはこの暴行により死亡した。第一審判決で，Aは尊属傷害致死罪の罪責を負うことになった。しかし，第一審判決後，刑法改正により尊属傷害致死罪の規定が削除された。Aが第一審判決を不服として高等裁判所に控訴し，再度，当該事件はAの仕業であるとの心証を裁判官が得た場合，Aの罪責はどうなるか。

1　問題のありか

　1995年に刑法改正が行われ，直系尊属（父母，祖父母）の保護を規定した罪がすべて削除された。改正前は傷害致死罪とともに尊属傷害致死罪（旧法205条2項）が規定されていた。傷害致死罪の法定刑は2年以上15年以下の懲役であるが，尊属傷害致死罪のそれは，無期懲役または3年以上の懲役であった。前者と比較すると後者の法定刑は極めて厳しいものであった。
　CASEでは，刑法改正による尊属傷害致死罪の削除を，刑の廃止あるいは刑の変更と見るべきかが問題となる。6条によれば，犯罪行為後に法律により**刑の変更**があったときは，軽い刑を規定した法律を適用する，と規定している。刑の廃止も「軽い刑」の究極の場合といえよう。CASEについて，刑の変更であれば，尊属傷害致死罪と比較して軽い法定刑の傷害致死罪の適用が考えられ，Aは傷害致死罪の罪責を負い，あるいは，刑の廃止であれば免訴（事件を審理しないで訴訟手続を打ち切る裁判。刑訴法337条2号）となり，Aは事実上無罪となる。どちらであろうか。

2　判決要旨──最判平8・11・28刑集50巻10号827頁

＊ 「原判決言渡し後の平成7年6月1日施行された改正法は，傷害致死罪を定めた旧法205条1項に相応する規定として205条のみを置き，その加重類型

である尊属傷害致死罪については，旧法205条2項に相応する規定を置いていない。そして，改正法附則2条1項ただし書は，旧法205条2項の適用について，改正法施行前にした行為の処罰についてなお従前の例によるとした同附則2条1項本文を適用しないと定めているから，改正法は，傷害致死罪の加重類型である尊属傷害致死罪を廃止して，これを傷害致死罪に統合することにより，実質的に，尊属傷害致死行為に対する刑を変更したものと解するのが相当である」。

3　論点の検討

　まず刑法の**時間的適用範囲**の問題は罪刑法定主義の問題であることを確認する必要がある。遡及処罰禁止原則を定める憲法39条前段，犯罪後に刑の変更があった場合は軽い刑を適用する刑法6条，刑の廃止の際は免訴判決を下さなければならないとする刑訴法337条2号は，国民・被疑者・被告人の人権に深く関わる規定である。

　さて，**CASE**を検討するうえで手がかりとなるのが，**限時法**に関する議論である。刑の廃止後も，刑の廃止前の行為を処罰できるかが限時法の問題である。尊属の生命だけを刑法が手厚く保護することは憲法14条の精神に反し妥当でないことを踏まえると，同罪の削除を素直に刑の廃止と見ることもできる。しかし，Bという人間の生命がAにより絶たれている現実を無視することになる。

　他方，傷害致死罪が存続している点を捉えて，尊属傷害致死罪の削除は行為の可罰性を放棄しているわけではないとして，刑の廃止後も廃止前の行為は尊属傷害致死罪で処罰することができるとも考えられる。たしかにBの生命をAが奪った点を捕捉することはできるが，罪刑法定主義に正面から反することになる。むしろ，**CASE**の場合，尊属傷害致死罪の削除を刑の変更と捉え，刑法6条を適用して，Aに対しては傷害致死罪を裁判官は適用すべきである。したがって，Aには傷害致死罪が適用される。

　なお，尊属傷害致死罪は，尊属という旧家族制の保護と生命保護とが混在している規定であった。これらを踏まえると，刑法改正の際に，尊属傷害致死罪は傷害致死罪に刑を変更する旨を規定すべきであった。

〔参考文献〕
　基本判例5刑法総論11頁［武藤眞朗］
　前田雅英『最新重要判例250刑法［第4版］』6頁

Ⅲ 両罰規定と法人の犯罪能力

No. 9 | 法人の刑事責任

〈CASE〉 日本のA社とP国のB社との間では，次のような取引が行われていた。表面上は，日本政府の定める価格（チェックプライス）以上の額で織物を取引していた。しかし，実際は，チェックプライスを下回る低価格で取引を行っていた。その差額をA社はB社に支払わなければならなかった。しかし，法定の除外事由がないのにもかかわらず，差額を日本国内にて日本円で支払っていた。このことが，外国為替及び外国貿易管理法（当時）違反とされ，取引に関わっていたA社の社員Cは有罪とされた。このとき，A社も同法違反の罪責を負うか。

〔参照条文〕 外国為替及び外国貿易法73条（当時）
　法人の代表者又は法人若しくは人の代理人，使用人その他の従業者が，その法人又は人の業務又は財産に関し，前三条の違反行為をしたときは，行為者を罰するほか，その法人又は人に対して各本条の罰金刑を科する。

1 問題のありか

　CASEでは両罰規定の理解が問題となる。**両罰規定**とは，企業組織体に所属する者が犯罪を犯した場合，行為者が自己の行為に対する刑事責任を負うことは当然であり，企業組織体も刑事責任を負うとする規定である。

　責任主義は刑法の大原則である。ここから，無過失責任主義や団体責任の否定の原則が派生する。しかし，両罰規定は責任主義に直接抵触する恐れがある。従業員が犯罪を犯せば企業組織体も直ちに処罰されるかのように見える点で，両罰規定は無過失責任主義を採用しているとも捉えられる。また，犯罪を犯した従業員が所属しているということのみによって，直ちに企業組織体を処罰するかに見える点で，団体責任を是認しているのではないかという懸念が両罰規定には存在する（CASE条文を参照）。刑法の責任主義と両罰規定との関係をどう捉えるべきかが問題となる。

2　判決要旨——最判昭40・3・26刑集19巻2号83頁

* 「事業主が人である場合の両罰規定については，その代理人，使用人，その他の従業員の違反行為に対し，事業主に右行為者らの選任，監督その他違反行為を防止するために必要な注意を尽さなかった過失行為の存在を推定したものであって，事業主において右に関する注意を尽したことの証明がなされない限り，事業主も刑責を免れ得ない。……（この）法意は，本件のように事業主が法人（株式会社）で，行為者が，その代表でない，従業員である場合にも，当然推及されるべきである」。

3　論点の検討

　両罰規定について，かつては，企業組織体に所属している者が処罰されれば，当然に企業組織体も処罰されるべきとする必罰主義・結果責任主義的な主張も見受けられた。しかし，現在ではこの見解は責任主義に反することから支持されていない。そこで登場したのが，**過失推定説**である。同説によれば，企業組織体には，犯罪を犯した所属者に対する選任や管理，監督，犯罪防止のために必要な注意を怠った過失が推定され，企業組織体が当該過失の不存在を証明しなければ，刑事責任を負うとする。過失推定説は，両罰規定に責任主義の原則，とりわけ過失責任を読み込み，旧説への批判をかわそうと主張されたものである。最高裁判所も両罰規定についてこの理解に立つ。

　たしかに，過失推定説が責任主義の精神を両罰規定に読み込もうとする姿勢は評価されるべきである。また，企業組織体における犯罪は，所属する個人だけでなく組織全体が関与していることが通例であることを勘案すると，過失推定説は責任主義と企業組織体による犯罪の実態と折り合いをつけようとする見解ともいえる。しかし，過失推定説による両罰規定の理解に対しては厳しい批判がある。①過失推定はあくまでも仮定にすぎない。②過失不存在の立証は企業組織体にとって現実的に不可能である。③上記①②から，両罰規定は企業組織体に対して無過失責任を問うものである。

　過失推定説に対する批判にはかなりの説得力があり支持しうるものである。過失推定説はたしかに過失を要求しようとしている限り責任主義に合致しているように見える。しかし，過失を推定するというその前提に，結果責任的発想が見え隠れするからである。

　よって，A社は無罪とすべきである。もしA社を有罪とするのであれば，A社の違法行為を正確に捕捉する理論的根拠が必要である。

刑法の基本原則の体系

Ⅰ　基本原理……………………………罪刑法定主義

Ⅱ　立法上の原則
　(1)　何をカタログに……………責任主義
　　　のせるか　　　　　　　　　個人責任主義
　　　　　　　　　　　　　　　　刑罰法規の適正
　　　　　　　　　　　　　　　　刑罰法規の謙抑主義
　(2)　カタログにの………………罪刑の均衡
　　　せる場合の注　　　　　　　刑罰法規の明確性
　　　意　　　　　　　　　　　　刑罰法規非広汎性

Ⅲ　適用上の原則………………………刑罰法規厳格解釈
　　　　　　　　　　　　　　　　類推解釈の禁止
　　　　　　　　　　　　　　　　遡及処罰の禁止
　　　　　　　　　　　　　　　　絶対的不定期刑の禁止

第2章

構成要件該当性

構成要件該当性と阻却事由
　人の行為が構成要件に該当するときは，通常，違法性・有責性もそなわっていると解されるので，特別にそれらが欠けると思われる場合だけ，犯罪にあたらないと捉えればよい。その欠けることを「阻却」といい，欠ける理由を「阻却事由」と呼ぶ。たとえば，正当防衛は違法性阻却事由であり，心神喪失は有責性阻却事由である。

◆刑法用語ミニ辞典◆

I 不作為犯

No. 10 不作為による放火罪

〈CASE〉 会社の事務室で木机の下に火鉢を置いて残業していたAは、炭火の熱気と先に飲んだ酒のため気分が悪くなり、多量の炭火のおこっている火鉢をそのままにして別室で仮眠し、約2時間後に眼を覚まして事務室に戻ると自席が燃えているのを発見した。自ら消火に当たり、あるいは宿直員の協力を得れば容易に消火できる状態にあり、このまま放置すれば会社建物全体に延焼することを認識しながらも、失火を目撃した驚きと自分の失策が発覚するのをおそれて、その場を立去ったため、会社建物ほか8棟が全半焼してしまった。Aの罪責はどうなるか。

1 問題のありか

不作為犯は、一定の作為が期待されているのにそれを行わないという不作為によって構成される犯罪で、真正不作為犯と不真正不作為犯とに分けられる。**真正不作為犯**は、不作為の行為態様そのものが法定されているので、処罰範囲を限定することは容易である。それに対して、**不真正不作為犯**は、作為犯の構成要件を不作為によって実現するものであり、行為態様が明記されていないので、刑罰法規の明確性に反し罪刑法定主義に抵触するのではないかとの主張もあるが、通説・判例は不真正不作為犯の処罰を認めている。しかし、処罰範囲をどの程度にするかについては争いがある。不真正不作為犯が成立するためには、法令・契約・先行行為などを根拠とする法的**作為義務**、作為義務から要求される行為をなす事実上の可能性があったかを問う**作為の可能性**の存在が必要とされる点には争いがないが、積極的に利用する意思という主観的成立要件を必要とするか否かについては争いがある。

これを不作為による放火罪にあてはめると、消火義務、消火の可能性が存在しているか、既発の火力の利用する意思が必要かという問題となる。

2 判決要旨──最判昭33・9・9刑集12巻13号2882頁

* 「Aの重大な過失によって右原符と木机の延焼という結果が発生したというべきである。Aは自己の過失行為により右物件を燃焼させた者（また，残業職員）として，これを消火するのは勿論，右物件の燃焼をそのまま放置すればその火勢が右物件の存する右建物にも燃え移りこれを焼燬するに至るべきことを認めた場合には建物に燃え移らないようこれを消火すべき義務があるものといわなければならない。……被告人は自己の過失により右原符，木机等の物件が焼燬されつつあるのを現場において目撃しながら，その既発の火力により右建物が焼燬せられるべきことを容認する意思をもってあえてAの義務である必要かつ容易な消火措置をとらない不作為により建物についての放火行為をなし，よってこれを焼燬したものであるということができる」。

3 論点の検討

CASEにおいては，まず，残業職員であり，発火が自己の過失行為に起因していることを根拠として，Aに消火義務を認めることができる。次に，消火の可能性であるが，失火発見時に，自ら消火に当たり，あるいは宿直員の協力を得れば容易に消火できる状態にあったというのであるから，当然に認められる。そこで問題となるのは，既発の火力を利用する意思である。過去の判例（大判大7・12・18刑録24輯1558頁，大判昭13・3・11刑集17巻237頁）は，主観的要件について，既発の火力を利用する意思を要件とし，それによって不作為を作為と同程度に高めるための要素としていたが，CASEにおける判決では，焼損を認容する意思すなわち未必の故意で足りるとしている。未必の故意が存するに過ぎない場合まで不真正不作為犯を認めることは，処罰範囲を広げることになるという批判もあるが，作為犯も不真正不作為犯も，同一構成要件の下で同等に評価されるので，故意の内容についても同一に解すればよいのであるから，未必の故意でも足り，CASEの場合は，Aに不作為の放火罪が成立することになる。

〔参考文献〕
　刑法判例百選Ⅰ総論〔第4版〕14頁〔生田勝義〕

No. 11 不作為による殺人罪

<CASE> Aは，自己の経営する飲食店の従業員で自宅に同居させていたBの客扱いが悪いことに立腹して暴行を加え，さらに自宅に連れ帰ってからは，Cと共謀して暴行を加え傷害を負わせたところ，Bは高熱を発し意識も判然としなくなるほどであった。しかし，AとCは，事件の発覚をおそれて，ただちに医師による治療を受けさせなければBが死亡することを認識しながら，それもやむをえないと決意して，自宅にあった化膿止めの錠剤，解熱剤，栄養剤を投与するなどしたが，Bは死亡してしまった。AおよびCの罪責はどうなるか。

1 問題のありか

不作為の殺人罪は，**不真正不作為犯**であり，その成立要件として法的作為義務，作為の可能性が求められる（不作為犯については *No. 10* 参照）。

CASE について，検察官は，不作為による殺人でAとCを起訴したが，弁護人は，AとCに法的作為義務はないこと，AとCの行為は殺人罪の実行行為と同価値ではないこと，AとCには殺意がなかったことを主張した。不真正不作為犯において，不作為が実行行為と認められるためには，構成要件に該当する作為と同価値のものと評価しうるかという構成要件的等価値性を問題としたのである。これは不真正不作為犯の処罰範囲を明確にしようとしたものと考えられる。なお，この同価値性を作為義務に含めて考えるのか，作為義務とは別の独立の要件とするかについては争いがある。

2 判決要旨──東京地八王子支判昭57・12・22判タ494号142頁

＊ 「A，Cの両名は，自己の行為によりBを死亡させる切迫した危険を生じさせた者と認められる。……本件に至るまでのA，Cの両名とBとの関係は，単なる飲食店の経営者と従業員というに止まらず，A，Cの両名が，Bに対し，その全生活面を統御していたと考えられ……，また，7月13日以後，A，Cの両名のにおいて，受傷したBの救助を引き受けたうえ，Bを，その支配

領域内に置いていたと認めるのが相当である。……A，Cらが，すでに同月14日には，Bの創傷が医師による適切な医療行為を必要とする程度の重いものであることを認識し，さらに，遅くとも同月16日には，Bの死を予見しえ，また予見していたと認めるのが相当である。……本件当時，A，CらがBをして，医師による治療を受けさせることが格別困難であったと認められる事情も存しないことを総合考慮すれば，A，Cらには，Bに対し，7月13日ないし15日の暴行による創傷の悪化を防止し，その生命を維持するため，Bをして医師による治療を受けさせるべき法的作為義務があったというべきである。……A，Cらがなした右のような薬品の投与は，しないよりまし，といった程度のものであり，……右作為義務を果たしたとは到底認められないばかりか，前認定のようなA，じらとBとの関係，A，じらが7月17日以後Bを支配内においていたことも考え合わせると，病状が悪化していくにもかかわらず適切な医療行為を講じさせないという不作為は，不作為による殺人の実行行為と評価できる。……A，Cらは，同日（7月16日）に，未必的殺意を抱いていたと認めるのが相当である」。

3　論点の検討

A，Cには，Bの死亡の原因となった傷害を負わせたという**先行行為**のほか，A，CとBは店の単なる経営者と従業員という関係にとどまらず，Bの生活全面を統御する支配主従関係にあったこと，A，Cが受傷したBの援助を引き受け，その支配領域内に置いていたことを根拠に，AとCには法的作為義務を認めることができ，また，医師による治療を受けさせることは容易であったことから，作為の可能性は十分に認められる。また，判例が示すように，AとCは法的作為義務を果たさず，Bを支配内に置いたことを考え合わせると，当該不作為が作為犯である殺人罪の実行行為と同価値であり，構成要件的等価値性からも，不作為の殺人罪を認めることができる。最後に，故意については，未必的殺意が認められるので，AおよびCには，未必の故意による不作為の殺人罪が成立することになる。

〔参考文献〕
　刑法判例百選Ⅰ総論［第4版］16頁［大越義久］

第 2 章　構成要件該当性

Ⅱ　因果関係

> **No. 12**　他人の故意行為の介入——米兵ひき逃げ事件

〈CASE〉　在日米軍兵Aは，助手席に同僚のBを乗せて乗用車を運転中，過失により自転車に乗っていたCに自車を衝突させ，Cを自車の屋根にはねあげ意識を喪失させたが，これに気づかずそのまま運転を続けたところ，4㎞走ったところで，Bがこれに気づき，時速約10㎞で走行中の自動車の屋根から，Cをさかさまに引きずり降ろし，アスファルトの路上に転落させた。Cは頭部打撲のため約8時間後に病院で死亡したが，この頭部打撲は，自動車との衝突によるものか，道路への転落によるものか鑑定でも確定できなかった。Aの罪責はどうなるか。

1　問題のありか

　刑法上，結果の発生が犯罪の成立要件となる多くの犯罪については，犯罪の成立に，実行行為と結果との間に一定の原因と結果という関係が必要とされる。これが**因果関係**である。そこで，行為者の実行行為以後に他人の故意行為が介入した場合に，その実行行為と発生した結果との間に因果関係が認められるか否かというのが CASE の問題点である。

2　決定要旨——最決昭42・10・24刑集21巻8号1116頁

＊　「同乗者が進行中の自動車の屋根の上から被害者をさかさまに引きずり降ろし，アスファルト舗装路上に転落させるというがごときことは，経験上，普通，予想しえられるところではなく，ことに，本件においては，被害者の死因となった頭部の傷害が最初の被告人の自動車との衝突の際に生じたものか，同乗者が被害者を自動車の屋根から引きずり降ろし路上に転落させた際に生じたものか確定しがたいというのであって，このような場合に被告人の前記過失行為から被害者の前記死の結果の発生することがわれわれの経験則上当然予想しえられるところであるとは到底いえない。」として，因果関係

を否定し，業務上過失致死罪の成立を否定した。

3　論点の検討

　刑法上の因果関係については，基本的に2つの考え方がある。1つは，「AなければBなし（その行為がなければその結果なし）」という条件関係が認められれば，刑法上の因果関係が肯定されるとする**条件説**である。もう1つは，刑法上の因果関係を肯定するには，条件関係が認められるだけでは十分でなく，さらに，その行為からその結果が発生することが，社会通念上，相当であると認められることが必要であるとする**相当因果関係説**である。

　さらに，相当因果関係説は，いかなる範囲の事情を前提に「相当性」を判断するかにつき，3説に分かれる。行為時に，行為者が認識した事情および認識しえた事情を基に判断する**主観的相当因果関係説**，行為時に客観的に存在していた一切の事情および行為時に客観的に予見可能であった行為後の事情を基に判断する**客観的相当因果関係説**，行為時に一般人が認識しえた事情および行為者がとくに認識していた事情を基に判断する**折衷的相当因果関係説**である。

　行為者の行為後に他人の故意行為が介入して結果が発生した場合，先行の行為と結果との間の因果関係については，条件説の立場からは，一般に条件関係が肯定されれば，因果関係も認められる。したがって**CASE**の場合，Aの行為がなければCの死亡という結果も発生しなかったという関係が認められれば，因果関係も肯定されることになる。一般に，最高裁は，本決定では相当因果関係説的な立場をとっていると評価されている。

　それに対し，相当因果関係説の立場からは，「相当性」の判断により結論は異なる。今日，相当性判断の内容については，①実行行為に存する結果発生の確率の大小，②介在事情の異常性の大小，③介在事情の結果への寄与の大小の3点により判断されるべきであるという見解が有力となっている（前田雅英『刑法総論講義（第3版）』183頁）。この見解によると，「疑わしきは被告人の利益に」の原則により，被害者C死亡の直接の原因はBが走行中の自動車から路上に引きずり降ろした行為であることを前提にすれば，Aについては，確かに実行行為に存する結果発生の確率は大きいが，介在事情は極めて異常であり，また介在事情の結果への寄与も大きいといえるから，相当因果関係説からは，その中のいずれの立場に立っても，結果との因果関係は否定されるべきである。Aには，刑法上，業務上過失致傷罪が成立することになる。

No. 13　他人の行為の介入——大阪南港事件

〈CASE〉　土木建築業者Ａは，会社を辞めたいとしつこく申し出る従業員Ｂに対し，洗面器や皮バンドで頭部等を多数回殴打する暴行を加え，内因性高血圧性橋脳出血により意識消失状態に陥らせた後，Ｂを遠く離れた港の資材置場まで自動車で運搬し，そこに放置し立ち去った。Ｂは，翌日未明，内因性高血圧性橋脳出血により死亡するに至ったが，死亡前に，何者かによって，角材で頭頂部を数回殴打されていた。その暴行は，すでに発生していた内因性高血圧性橋脳出血を拡大させ，Ｂの死期がいく分か早められた。Ａの罪責はどうなるか。

1　問題のありか

CASE は，少なくともＡの実行行為後に，何者かが少なくとも暴行の故意をもってＢに加害しているのであるから，**No. 12** の CASE と同じく，行為者の実行行為の後に，結果発生までに他人の故意行為が介入した場合の因果関係の成否が問題となる。また，このような場合に，相当因果関係説で妥当な結論を導くことができるのかという点も重要である。

2　決定要旨——最決平2・11・20刑集44巻8号837頁

＊　「このように，犯人の暴行により被害者の死因となった傷害が形成された場合には，仮にその後第三者により加えられた暴行によって死期が早められたとしても，犯人の暴行と被害者の死亡との間の因果関係を肯定することができ，本件において傷害致死罪の成立を認めた原判断は，正当である。」として，最高裁は因果関係を肯定した。

3　論点の検討

まず，条件関係を確認すると，ＡがＢに暴行を加えなければＢが死亡することはなかったのであるから，Ａの暴行行為とＢの死亡との間には条件関係が認められる。したがって，条件説をとれば，刑法上の因果関係は認められる。

それに対し，**相当因果関係説**の立場からは結論はどのようになるであろうか。

折衷説であっても，客観説であっても，行為時，すなわちAがBを港の資材置場に放置し去った時点では，その後何者かがBに対し暴行を加えるということは，一般人を基準にしても，行為者を基準にしても，予見できなかったというべきであるから，相当性判断の基となる事情にこの事情を加えることはできない。したがって，相当因果関係説では，実行行為後に何者かが被害者に暴行を加えるという事情は，相当性判断の基となる事情に加えられないのであるから，もし，そこから，Aの実行行為と被害者Bの死亡という結果との間の因果関係は認められないとの結論に至るとすれば，それは妥当な結論ではないであろうとの疑問が提起される（もっとも，この結論が正しいという見解もある）。

しかし，相当因果関係説の立場であっても，必ずしも因果関係が否定されるとの結論に至るとはいえない。すなわち，そのような事情が相当性判断の基となる事情から排除されるということと，そのような実行行為からそのような結果が発生するということが社会通念上「相当」であるという相当性判断とは異なるからである。

CASE No. 12で掲げた実行行為後に他人の行為が介入した場合の相当性判断の内容にあてはめると，①実行行為に存する結果発生の確率の大小については，AはBに暴行を加え，内因性高血圧性橋脳出血により意識消失状態を生じさせたのであるから，実行行為に存する結果発生の確率はきわめて大きいといわなければならない。しかし，②介在事情の異常性の大小については，意識を消失した状態で放置された被害者の頭部を角材で殴打する者があるということは，きわめて異常であり，介在事情の異常性は大きいといえる。③介在事情の結果への寄与の大小という点では，Bの死期はいく分か早められたに過ぎないのであるから，結果への寄与は小さいことになる。このように考えると，確かに，介在事情の異常性はきわめて大きい事案であるが，実行行為に存する結果発生の確率の大きさおよび介在事情の結果への寄与の小ささからすれば，全体として，Aの実行行為とBの死亡という結果との間に相当因果関係を認めることができる。したがって，Aには傷害致死罪が成立する。

CASE No. 12と本CASEで最高裁の結論が異なるのは，単純に相当因果関係説と条件説との違いと解することもできなくはないが，むしろ，実行行為に存する結果発生の確率の違いおよび介在事情の結果への寄与の決定的な違いと解すべきだと思われる。

No. 14　被害者の特殊事情の介在

〈CASE〉　電車内で携帯電話を使って大声で話していたAは，それをBから注意されたことに激昂し，Bの顔面を数回殴打し，さらにBの身体を突き飛ばした。その暴行自体は比較的軽いもので，仮にBが健康体であれば，命にかかわるようなものではなかったが，Bには，家族や本人も知らない重篤な心臓疾患があったため，Aの暴行により心停止を引き起こし死亡してしまった。Aの罪責はどうなるか。

1　問題のありか

行為時に，被害者に外観からは認識できない特殊な事情（特別な疾患や特殊体質など）が存在し，その特殊事情によって重大な結果が発生したという場合に，発生した結果につき行為者の責任を問うことができるかが問題となる。その際，実行行為と重大な結果との間の**因果関係**の存否のほか，**結果的加重犯**の場合，基本犯と加重結果との関係をどのように理解するかも重要である。

2　論点の検討

まず，因果関係については，AがBに対して暴行を加えなければ，Bは死亡しなかったのであるから，Aの暴行とBの死亡との間には条件関係が認められ，したがって，条件説の立場からは因果関係が肯定される。

相当因果関係説の場合，このCASEでは結論が分かれる。**主観的相当因果関係説**（主観説）の立場からは，当然，行為者には相手に重篤な心臓疾患があることは認識できなかったので，因果関係は否定される。**客観的相当因果関係説**（客観説）の立場では，行為当事に存在していたすべての事情を相当性判断の基礎とするのであるから，重篤な心臓疾患のある人にそのような暴行を加えると，被害者に死亡という結果が生じることが，社会通念上一般にありうることかという相当性判断をすると，それは肯定され，因果関係が認められることになる。**折衷的相当因果関係説**（折衷説）の立場では，行為者に，重篤な心臓疾患のある人が相手であるという認識があれば因果関係が肯定されようが，そう

ではない場合，一般人にもそのような事情は認識できないのであるから，相手に重篤な心臓疾患があるという事情は相当性判断の基となる事情から排除されることになる。したがって，一般に，その程度の暴行で人は死亡することはないということになり，因果関係は否定される。

　本来客観的であるべき因果関係の範囲を，行為者の主観のみで画する主観説は採用できない。また折衷説も，行為者が知っていれば因果関係が認められ，知らなければ因果関係が否定されることがあるという点で，行為と結果との客観的帰属を問題とする因果関係の理論としては適当ではない。客観説が支持されるべきである。折衷説の立場からは，客観説に対し，客観説によれば行為者が行為時に認識できない事情まで基にして相当性を判断することになり，行為者に酷な結果となるとの非難がなされる。しかし，世の中は健康な人ばかりではない。むしろ，年齢が上がるにつれて，何らかの病気を抱えている人の割合はどんどん増える。折衷説のように，行為者がとくに事情を知らなければ被害者は（たとえ，その年齢としても）ある程度健康的な一般人との前提で相当性が判断されるとすれば，被害者の死亡という結果を惹起した行為はないことになり，それではあまりにも，被害者にとって「酷な」結論となるであろう。

　このようなCASEで行為者の刑事責任を限定するのは，因果関係ではなく，結果的加重犯の成立には，加重結果の発生につき行為者に過失が認められることが必要であるとの観点から行われるべきである。ただし，判例は，基本犯と加重結果との間に因果関係が認められれば足りるとしている。結論として，客観説の立場からは，Aの行為は傷害致死罪の構成要件に該当する。

3　関連判例──最判昭46・6・17刑集25巻4号567頁

　被告人は，被害者（63歳の女性）の胸倉をつかみ，口をふさぎ，倒れた被害者の頸部や口を押さえ，さらに被害者に布団をかぶせ口付近を押さえるといった暴行を加えたところ，被害者が死亡したという事案である。

＊　「被告人の本件暴行が，被害者の重篤な心臓疾患という特殊の事情さえなかったならば致死の結果を生じなかったであろうと認められ，しかも，被告人が行為当時その特殊事情のあることを知らず，また，致死の結果を予見することができなかったとしても，その暴行がその特殊事情とあいまって致死の結果を生ぜしめたものと認められる以上，その暴行と致死の結果との間に因果関係を認める余地がある」。

第 2 章　構成要件該当性

No. 15　被害者の行為の介在——柔道整復師事件

〈CASE〉　柔道整復師であるＡは，Ｂ（28歳の男性，二級建築士）から風邪気味であるとして，診察治療を依頼されたところ，自らの「熱が上がれば体温により雑菌を殺すことができる」という信念から，熱を上げること，水分・食事を控えること等，異常な治療方法を指示した。その後，ＢがＡの指示を忠実に守ったため病状は悪化したが，ＡはＢに医師の診察治療を受けるよう勧めることもなく再三往診して同様の指示を繰り返した。その結果，Ｂは脱水症状を起こし肺炎を併発し，それによる心不全で死亡した。Ａの罪責はどうなるか。

1　問題のありか

行為者の実行行為後に，被害者自身の行為が介在した場合の因果関係の成否が問題となる。とくに，被害者自身に落ち度，過失が存在する場合，行為者の実行行為と結果との間の因果関係はどのように判断されるべきであろうか。

2　決定要旨——最決昭63・5・11刑集42巻5号807頁

＊　「被告人の行為は，それ自体が被害者の病状を悪化させ，ひいては死亡の結果をも引き起こしかねない危険性を有していたものであるから，医師の診察治療を受けることなく被告人だけに依存した被害者側にも落ち度があったことは否定できないとしても，被告人の行為と被害者の死亡との間には因果関係があるというべきである」。

3　論点の検討

従来，判例は，行為者の実行行為と結果との間に被害者の行為が介在した場合には，一貫して因果関係を肯定してきた。たとえば，全治 2 週間の傷害を負わせたところ，被害者がある宗教の信者で，傷口に「神水」を塗布したため，丹毒症を併発し，全治 4 週間の傷害を負った事案（大判大12・7・14刑集 2 巻658頁），行為者の暴行を避けるため，被害者自らが水中に飛び込んで死亡した事案（最決昭46・9・22刑集25巻 6 号769頁），行為者の暴行に耐えかねて，逃走した

被害者が転倒して池に落ち，露出した岩石に頭部を打ちつけ死亡した事案（最決昭59・7・6刑集38巻8号2793頁）では，すべて実行行為と結果との間の因果関係を認めている。

しかし，最高裁決定では，従来の条件説的表現および相当因果関係説的表現が用いられていない点が指摘されている。条件関係については，AがBに対し異常な治療方法を指示し，さらに再三往診し同様の指示を繰り返さなければ，Bが死亡することはなかっただろうといえるのであるから，条件関係は肯定でき，条件説の立場からは直ちに因果関係が認められるはずである。しかし，最高裁は，「被告人の行為は，それ自体が被害者の病状を悪化させ，ひいては死亡の結果をも引き起こしかねない危険性を有していたものであるから」として，行為に内在する結果発生の危険性を因果関係肯定の根拠としている。この傾向は以下の夜間潜水事件でも見られ，行為自体の危険性，さらに行為者の行為による介在行為の誘発を，因果関係を認める根拠としているとの見方もある。

相当因果関係説の立場からは，①実行行為に存する結果発生の確率については，Aの行った異常な指示と，さらに再三往診してBの病状がどんどん悪化しているにもかかわらず同内容の指示を繰り返した行為からして，結果発生の確率は小さいとはいえない。②介在事情の異常性については，そのような状況を踏まえれば，Bが異常な指示に従った点は異常性が大きいとはいえず，③介在事情の結果への寄与の大小については，これはかなり大きい。微妙な事案ではあるが，相当因果関係を認めてよいと思われる。

結論として，Aには，業務上過失致死罪が成立する。

4 関連判例──最決平4・12・17刑集46巻9号683頁（夜間潜水事件）

スキューバ・ダイビングの指導者が，夜間潜水訓練中に受講生から不用意に離れたため，受講生の一人が適切な行動をとれずに溺死したという事案。

＊ 「被告人が，夜間潜水の講習指導中，受講生等の動向に注意することなく不用意に移動して受講生らのそばから離れ，同人らを見失うに至った行為は，……でき死させる結果を引き起こしかねない危険性を持つものであり，被告人を見失った後の指導補助者および被害者に適切を欠く行動があったことは否定できないが，それは被告人の右行為から誘発されたものであって，被告人の行為と被害者の死亡との間の因果関係を肯定するに妨げない」。

No. 16　不作為の因果関係

〈CASE〉 暴力団構成員Aは，B（13歳の少女）をホテルへ連れ込み，覚せい剤を注射したところ，Bはしだいに覚せい剤による錯乱状態に陥り，正常な起居ができないほどの重篤な心身の状態に陥った。Aは，これが覚せい剤による強度の急性症状であることを十分認識していたにもかかわらず，安全のために必要な救護措置をとることなくBを漫然放置し，その後ホテルを立ち去った。その後，Bは，ホテルにおいて覚せい剤による急性心不全により死亡した。Aの罪責はどうなるか。

1　問題のありか

不作為犯の因果関係はどのようにして認定されるのかが問題であるが，とりわけ，仮に，行為者が「期待される作為」に出たならば，どの程度の確率で結果の発生が防止できたことが必要かという点が重要である。

2　決定要旨——最決平1・12・15刑集43巻13号879頁

＊ 「被害者の女性が被告人らによって注射された覚せい剤により錯乱状態に陥った午前零時半ころの時点において，直ちに被告人が救急医療を要請していれば，同女が年若く（当時13年）生命力が旺盛で，特段の疾病がなかったことなどから，十中八，九同女の救命が可能であったというのである。そうすると，同女の救命は合理的な疑いを超える程度に確実であったと認められるから，被告人が，このような措置をとることなく漫然同女をホテル客室に放置した行為と午前2時15分ころから午前4時ころまでの間に同女が同室で覚せい剤による急性心不全のため死亡した結果との間には，刑法上の因果関係があると認めるのが相当である」。

3　論点の検討

不作為犯の因果関係はどのようにして判断されるのであろうか。ずっと以前には，「無（不作為）から有（結果）は生じない」との観念から，不作為の因果関係に疑問が提起されたこともあるが，今日では，不作為は単なる「無」，

すなわち何もしないことではなく、「一定の期待された作為をしないこと」と理解されている。したがって、不作為にも結果との間の因果関係が観念でき、不作為犯には、実行行為と結果との間に因果関係が必要とされることになる。

すなわち、不作為犯の因果関係を肯定するには、「期待された行為（作為）がなされたならば、その結果は発生しなかったであろう」という関係が前提となる。しかし、これは不作為犯の条件関係である。作為犯の条件公式である「その行為なければその結果なし」と同様の論理構造として、「その不作為なければその結果なし」と捉えることも可能であるが、現実に行われた作為の場合と異なり、不作為では、「もし作為がなされたら……」という、状況を仮定した判断とならざるを得ない。**相当因果関係説**の立場からは、当然、さらにその不作為からその結果が発生することが、社会通念に照らし「相当」であると認められてはじめて、刑法上の因果関係が肯定されることになる。

そこで、「一定の作為が行われたならば、その結果は発生しなかったであろう」という関係が、どの程度の確実性をもっていなければならないのかということが、問題となる。一定の作為を行っていれば、結果は発生しなかったかもしれないという関係では条件関係は認められない。CASE に対する第一審は、確実に結果が防止できたこと、すなわち救命可能性が100パーセントであったことが必要であるとして、保護責任者遺棄致死罪の成立を否定し、保護責任者遺棄罪のみを認めた。それに対し、第二審および最高裁は、100パーセントである必要はなく、「十中八，九」救命可能であれば足りるとした。実際に、自然科学的な見地からは100パーセント救命可能と断言できる事案はほとんどなく、100パーセント結果が発生しなかったことが必要となれば、不作為犯の条件関係はほとんど否定されることになり、不都合が生じるであろう。「十中八，九」の可能性で足りるとする判例の立場は妥当であろう。もっとも、ここでいう「十中八，九」とは、厳密な意味で80～90パーセントの結果発生防止の確率が必要であると解すべきではなく、「おそらく，多分」と理解すべきであろう。

不真正不作為犯の成立要件としては、法律上の作為義務に違反すること、作為が可能であったこと、作為との等価値性が認められることが掲げられるが、CASE では、覚せい剤の注射という先行行為に基づく作為義務が認められ、また救急車を要請するなどの作為に出ることも容易な事案であった。

結論として、Aには、保護責任者遺棄致死罪が成立する。

第2章 構成要件該当性

犯罪論の体系

いかなる場合に犯罪は成立するか―犯罪とは，人間の行為が構成要件に該当し，違法かつ有責な場合に成立する。

社会（世界）に生じるすべての現象
・自然災害　・単なる人の行動
　・夢遊状態による行動
　・絶対的強制下の行動

人間の行為
・債務不履行　・行政法規違反　・不能犯
・不法行為

構成要件該当性
・正当防衛*　・正当業務行為　・自救行為
・緊急避難　・正当行為　　　・安楽死
・法令行為　・刑法230条の2　・被害者の承諾

違法性
・心神喪失　　・期待可能性
・刑事未成年　　のない場合

有責性

↓

犯罪成立

〈図の見方〉
＊正当防衛を例に，
　……正当防衛にあたる場合は，構成要件に該当しても違法性が認められないので，違法性のわくの中に入らない。

第3章

違法性

違法性の相対性
　違法性は，法の視点から許されないという評価を受けることであるが，法の分野によって評価の意味合いに差がある。他人に被害を与えれば民法上の不法行為にあたるが，その中の一部が刑法上の法規に抵触することになる。自動車が制限速度を超えるときも，程度により，道路交通法違反として反則金による行政制裁を受けるにとどまる場合と，罰金という罰則を受ける場合とに分かれる。

◆刑法用語ミニ辞典◆

第3章　違　法　性

I　違法性の本質

| *No. 17* | 軽微な被害 |

〈CASE〉　Aは，友人Bがどのような電話機からでも無料で通話ができるようになる携帯装置を作ったということを聞き，その機器を借りて実際に公衆電話で試したところ投入した10円硬貨が戻ってきたので，Bから機器をもらって自宅の電話に設置しようと思ったが，取り付けることなくそのまま放置していた。Aの罪責はどうなるか。

1　問題のありか

Aの行為は，偽計業務妨害罪（233条）および有線電気通信妨害罪（有線電気通信法13条）との関連で論じることができよう。そこで，Aの行為はそもそもこれらの罪の構成要件に該当するものといえるのか，該当するとしても処罰するほどの違法性を有するものなのかを検討する必要がある。

また，AはBからもらった機器を公衆電話では使用したが，自宅の電話機には取り付けることもなく放置していたことをどのように評価するかも問題となろう。

2　論点の検討

CASEのように，被害が軽微な場合には処罰にあたいするだけの違法性がない，すなわち**可罰的違法性**がないとして犯罪の成立を否定する見解がある。

たとえば，判例のなかには，現在の価値でいうと数円程度の葉煙草を政府に納入すべき義務に反して自ら喫煙することは，零細な反法行為であって刑罰による制裁の必要はないとして（旧）煙草専売法違反行為にはあたらないとしたもの（大判明43・10・11刑録16輯1620頁）や，小売の指定を受けていない者が客のために煙草の買置きをして代金と引換えで渡す行為は，社会生活上許容されるべきものとして認められるとして，（旧）たばこ専売法違反の罪にはあたらないとしたもの（最判昭32・3・28刑集11巻3号1275頁）がある。また，ちり紙十

数枚とかハズレ馬券を窃取しても，価値が微少で窃盗罪の客体である財物としての保護に値しないとするものもある（東京高判昭45・4・6判タ255号235頁，札幌簡判昭51・12・6刑月8巻11＝12号525頁）。

ところで，これらの判例は，犯罪の成立を否定するにあたって，それぞれの犯罪の構成要件に該当しないことを理由にあげているとも考えられる。とくに，下級審判例では窃盗罪の「財物」にあたらないとしていることからすると，軽微な被害の場合には，可罰的違法性がなく，したがって違法性が阻却されるとしているのではなく，**構成要件該当性**が否定されているとみるほうがよいと思われる。

では，CASEのような場合でも構成要件該当性は否定しうるのか。

最高裁は，類似の事案について，偽計業務妨害罪も有線電気通信妨害罪も危険犯であり，現実に業務等の遂行が妨害されることは必要でなく，損害額が些少であったことなどは犯罪後の情状に関する事項であって，両罪の成否とは無関係であるとした原判決（東京高裁）を支持している（最決昭61・6・24刑集40巻4号292頁）。この事案の第1審は「それぞれの構成要件に該当するとしても，……可罰的違法性を欠き，違法性そのものを阻却する」と判示していた。しかし，東京高裁のように両罪が抽象的危険犯であり，この程度の行為でも「妨害」にあたると理解する以上，違法性阻却事由としての可罰的違法性がないとは言い難いであろう。

Aの行為は，偽計業務妨害罪および有線電気通信妨害罪の構成要件に該当するものであり，可罰的違法性がないとして違法性を阻却するものでもないので，両罪が成立すると考えるべきであろう。

3 設問

CASEのように，わざわざ機器を設置して料金の支払いを免れるような場合と，自らの喫煙のためや客に便宜を図るような場合とでは，犯罪の成否に違いがあるのか。昭和61年の最高裁決定で大内裁判官は補足意見として，「一般人としても犯しかねない」行為か否かによって両者を区別するが，このような考え方は妥当か。

〔参考文献〕

刑法判例百選Ⅰ総論〔第4版〕38頁〔町野　朔〕

第3章 違 法 性

No. 18　争議行為——名古屋中郵事件

〈CASE〉　全逓労組執行委員のAは，名古屋中央郵便局内において，全逓中央闘争本部の指示により，勤務時間になってからもさらに2時間の職場闘争を行い続けた。その際に，①食堂に立ち入ってその場にいた職員に対して職場放棄を呼びかけ，結果として3万通弱の郵便物を配達させず，②数十名のピケ員とともに普通郵便課および小包郵便課作業室に無断で立ち入った。郵便法79条1項には，郵便の業務に従事する者が郵便物の取扱いをしない等の行為を処罰する旨の規定がある。Aの罪責を論ぜよ。

1　問題のありか

　労働組合法1条2項は，憲法上の労働基本権の保障を受けて，労働組合が一定の目的のもとに団体交渉その他の行為をした場合に，構成要件に該当するものであっても，刑法35条によって違法性が阻却されるものとすると規定している。他方，公共企業体等の職員については，国営企業労働関係法によって争議行為が禁じられている（17条1項）。
　そこで，公務員の争議行為であっても労働組合法1条2項の適用を受け刑法上の**正当行為**となりうるのか，あるいはこの程度の争議行為であれば処罰するほどの違法性がないとするのか，などが問題となる。

2　論点の検討

　公務員の争議行為に対する労働組合法1条2項の適用について，判例は，かつては否定していたものをくつがえして肯定し，再び否定するという状況にある（なお，かつては公共企業体等労働関係法によって公務員の争議行為が禁止されていた）。
　最高裁は，まず，公務員はその性質上一般の勤労者とは異なっており，争議権等について制限があっても憲法に違反するものではなく，したがって争議行為が禁止されている規定がある以上，その争議行為自体の正当性を論ずる必要はなく，労働組合法1条2項の適用もないとしていた（最判昭38・3・15刑集

17巻2号23頁―檜山丸事件判決)。しかしその後，争議行為は正当な限界を越えないかぎり憲法の保障する権利の行使であるという前提のもとに，暴力の行使その他不当な行為をともなわない場合，労働組合法1条1項の以外の目的，たとえば政治的目的のために行われる場合や国民生活に重大な障害もたらす場合などにあたらないのであれば，公務員の争議行為であっても労働組合法1条2項の規定を適用しうるとした（最大判昭41・10・26刑集20巻8号901頁―東京中郵事件判決)。

これに対し，CASEに類似した事案について，公務員の争議行為の禁止が憲法に違反しないことを根拠に，いかなる争議行為についても違法性が阻却されることがないとする立場（檜山丸事件判決）を否定しつつも，労働組合法1条2項の規定の適用は否定した（最大判昭52・5・4刑集31巻3号182頁　名古屋中郵事件判決)。ただし，刑罰が科せられる場合にはそれに相当する違法性の存在が必要であるともしており，たとえば争議の単純参加者については処罰が阻却されるとしている。

刑法上の**違法性**は，刑法を含む法全体から判断すべきものなのか，公労法や民法とは区別して刑法固有の観点から判断すべきなのか，立場の別れるところである。仮に刑法独自の違法性の判断をするのであれば，何に依拠して行うのか，説明する必要があろう。そうでないと，諸法に違反することをもって形式的に違法としまうことになりかねない。

Aの罪責については，争議行為の一環として行われたものである以上，35条により違法性が阻却されるべきであり，したがって郵便法79条1項の罪および建造物侵入罪は成立しないと考えるべきであろう。

3　関連判例――最大判昭48・4・25刑集27巻3号418頁

国鉄労働組合の地方本部等の役員であった被告人らが，年度末手当てに関する闘争に参加を呼びかけるため，係員以外が立ち入ることが禁じられている信号所に入った事案に関し，最高裁は，公務員の争議行為の違法性が阻却されるか検討するにあたっては「その行為が争議行為に際して行われたものであるという事実をも含めて，当該行為の具体的状況その他諸般の事情を考慮に入れ，それが法秩序全体の見地から許容されるべきものであるか否かを判定しなければならない」としている。

[参考文献]
刑法判例百選Ⅰ総論［第4版］36頁［京藤哲久］

第3章 違法性

Ⅱ　正当行為

No. 19　弁護活動──丸正名誉毀損事件

> **〈CASE〉**　弁護士Aは，被告人Bの弁護を担当していたが，Bは無実であり真犯人はCであることを確信し，検察に再捜査を依頼した。しかしその後，検察にはその意思がないことを知ったので，まず上告趣意書においてCが真犯人であることを明記し，一方では法廷における弁護活動のみでは被告人の冤罪（えんざい）を晴らすことはできないと考えた。そこでマスコミを通じて真犯人が誰であるかを世間に訴えて，それによってBが冤罪であるという証拠を集めようとして，新聞記者に対して真犯人はCであると発表し，Cが真犯人であるという内容の著書も出版した。Aの罪責について述べよ。

1　問題のありか

Aが，Cが犯人ということを真実であると証明した場合，また，それを証明できない場合であってもその事実を真実と誤信し，誤信したことについて確実な資料等に照らして相当の理由がある場合には名誉毀損罪は成立しないことになる。

問題は，上記にあてはまらないような場合でも，弁護活動のために行われたことが名誉毀損罪などの構成要件には該当するが，35条の**正当行為**として違法性が阻却されうるかという点である。Aの**弁護活動**が正当行為として認められるためには，その判断基準がどこに求められるのかを具体的に検討しなければならない。

2　決定要旨──最決昭51・3・23刑集30巻2号229頁

強盗殺人事件の弁護人であったAおよびBは，被告人は無実であり被害者の兄夫婦および弟が真犯人であると新聞や著書で公表したが，このことが名誉毀損にあたるとして起訴された。最高裁は，35条の適用を受けるためには，その行為が弁護活動のために行われたというだけでは足りず，行為の具体的状況そ

の他諸般の事情を考慮して，法秩序全体の見地から許容されるべきものと認められなければならないとしたうえで，正当な弁護活動と評価するためには「弁護目的の達成との間にどのような関連性をもつか」などを考慮しなければならず，本件の行為は「訴訟外の救援活動に属するものであり，弁護活動との関連性も著しく間接的であり，正当な弁護活動の範囲を超えるものというほかない」として上告を棄却した。

3　論点の検討

　一般的には，弁護士の活動は高度な職業倫理にもとづく**正当業務行為**としてとらえることができる。そのような行動準則によるものであるならば，たとえば法廷において被告人の弁護のために人の名誉を毀損するようなことがあっても違法性は阻却される。他方，たとえ被告人の利益を図るためであっても証拠を偽造するなどした場合には違法性が阻却されることはない。

　しかし，法廷外の弁護活動についてはどうか。ことに新聞等で真犯人を指摘するということが，弁護士の正当業務行為として認められるのかは限界的な事案であるといえる。そもそも弁護人の活動を，訴訟活動の一環として行われる訴訟内活動と，訴訟外で行われる救援あるいは支援活動とを区別することが可能であるかを検討する必要がある。**CASE**のように，上告趣意書のなかで指摘したことを明らかにすることで人の名誉が毀損されるような事態になった場合に，それが訴訟内活動によるものか訴訟外の救援活動によるものかは確定しにくい。一般人の協力を求めるための言論活動は，基本的に弁護活動の範囲に属していると解すべきであろう。

　Aによる真犯人の指摘という行為が，真実性の証明がなくとも，確実な資料や根拠に照らして相当の理由があるという要件をみたすというためには，具体的にはどのようなことが要求されるのか，また，弁護人による場合とそれ以外の者による場合とでは「相当の理由」が認められる程度が異なってくるのかなども検討する必要がある。

　Aの行為は，弁護活動の範囲に属するものであり，したがって35条が適用されて名誉毀損罪は成立しないものと解すべきであろう。

〔参考文献〕
　　刑法判例百選Ⅰ総論［第2版］62頁［小田中聰樹］

第3章　違 法 性

| *No.20* | 取 材 活 動 |

〈CASE〉　テレビ局の報道部に属していた記者Aは，外交政策について取材を行っていたところ，重大な政策決定がなされるかもしれないとの情報を得た。しかし，具体的なことは内部の限られた者のみしか知ることができない機密事項であったため，Aは外務省に勤務していた事務官Bに近づき，タレントとして活動する気があるなら紹介するなどと誘惑し，そのうえでBと肉体関係を持ったのち，Bに内部文書をコピーしてくるように依頼した。Bはその依頼に応じて文書を自らの部署内にあるコピー機でコピーをとってAに渡した。Aの罪責について述べよ。

1　問題のありか

まずBの行為についてみてみると，職務上知りえた秘密を漏らしたのであるから，国家公務員法109条12号に違反する。また，自らの部署内のコピー機を使用してその写しを渡しており，これらはコピー用紙を横領したといえるので業務上横領罪が成立しうる。

そのうえでAの行為が，国家公務員法111条の「そそのかし」罪にあたるのか検討することになる。すなわち，そそのかしとはいかなる行為をいうのか，そそのかしにあたるとしても，それは取材活動として違法性が阻却されるかなどである。さらに，業務上横領罪の教唆犯が成立するのかも問題となる。

2　論点の検討

報道目的の**取材活動**は，憲法が保障する報道の自由および国民の知る権利から生じるものであり，**正当業務行為**として認められるものである。

そそのかしというのは，範囲が曖昧で概念自体が明確でないものともいえる。したがって何らかの限定的解釈をする必要がある。たとえば，**CASE**に類似した事案で，東京高裁はそそのかし行為を「秘密漏示行為を実行させる目的を持って，公務員に対し，右行為を実行する決意を新たに生じさせてその実行に出る高度の蓋然性ある手段方法を伴い，又は自ら加えた影響力によりそのよう

な蓋然性の高度な状況になっているのを利用してなされるしょうよう行為を意味する」とした（東京高判昭51・7・20高刑集29巻3号429頁）。

　次に，そそのかし行為に該当するとしても，正当業務行為として違法性が阻却されるかが問題となる。一般に違法阻却の判断にあたっては，行為の社会的相当性に求める立場と法益衡量による立場とが対立している。**CASE** にそくしてみると，**社会的相当性**を重視するならば，取材活動のなかで他人の人格を傷つける行為があると認められる以上，違法性は阻却されないといえる。これに対して，報道の自由や知る権利と守られるべき国家の秘密とを衡量して判断するならば，ここで問題となる秘密の重要度や性質などがさらに問題となってくるであろう。

　他方，業務上横領罪の教唆については，取材活動であってもそれ自体が犯罪を構成するような場合には違法性が阻却されるとはいえない。したがって，取材行為はそそのかし罪にあたらない場合であっても，その過程において犯罪を教唆するようなことがあれば，その犯罪について教唆犯が成立することになる。

　Aの行為は，取材行為として35条の適用が認められるべきであるから，そそのかしの罪は成立しないと考えられる。他方，業務上横領罪の教唆については違法性は阻却されず同罪の教唆犯は成立する。

3　関連判例──最決昭53・5・31刑集32巻3号457頁

　新聞社で外務省を担当していた記者が，外務省審議官付の秘書と肉体関係を持った後，沖縄返還交渉に関する取材をするために，審議官のところにある秘密文書を見せてくれるよう懇願し，十数回にわたって秘密文書を持ち出させたという事案に対し，最高裁は次のように判断した。

　取材活動といえども，それが贈賄罪などの犯罪を構成する場合はもちろん，「その手段・方法が一般の刑罰法令に触れないものであっても，取材対象者の個人としての人格の尊厳を著しく蹂躙する等法秩序全体の精神に照らし社会観念上是認することのできない態様のものである場合にも，正当な取材活動の範囲を逸脱し違法性を帯びるものといわなければならない」。

〔参考文献〕
　刑法判例百選 I 総論［第2版］64頁［円谷　裕］

第3章 違法性

Ⅲ 正当防衛

No. 21 侵害の急迫性

〈CASE〉 中核派の学生であるAらは，集会を開こうとして会場を設営中，対立抗争関係にある革マル派の学生らの攻撃を予期して鉄パイプなどを準備し，1回目の同派学生らからの攻撃を実力で撃退した後，ほどなく再度の攻撃のあることを予期してバリケードを築いているうち，案の定攻撃してきた同派の学生らに対し鉄パイプで突くなどの共同暴行を加えた。Aらに正当防衛は成立するか。

1　問題のありか

Aらの行為のうち，革マル派学生に対する共同暴行について，暴力行為等処罰に関する法律1条違反の罪の成否が問題になる。正当防衛（36条）が成立するためには，相手方の「急迫不正の侵害」が存在することが必要であるが，CASEでは，Aらは相手方の再度の攻撃を当然に予想しながら，積極的攻撃の意図をもって臨んだことから，侵害の急迫性が失われるのではないかが問題になる。一審は急迫性を肯定したが，二審はこれを否定した。

2　決定要旨──最決昭52・7・21刑集31巻4号747頁

＊ 「刑法36条が正当防衛について侵害の急迫性を要件としているのは，予期された侵害を避けるべき義務を課する趣旨ではないから，当然又はほとんど確実に侵害が予期されたとしても，そのことからただちに侵害の急迫性が失われるわけではない」。しかし，「単に予期された侵害を避けなかったというにとどまらず，その機会を利用し積極的に相手に対して加害行為をする意思で侵害に臨んだときは，もはや侵害の急迫性の要件を充たさないものと解するのが相当である」。

3　論点の検討

「急迫」とは，法益の侵害が現に存在しているか，または目前に差し迫って

いることをいう。したがって，過去の侵害または将来の侵害に対しては正当防衛は成立しない。しかし，将来の侵害が予想されるものであっても，現に侵害が行われれば急迫性が肯定される。たとえば，強盗の侵入が予想されるので棒を持って警戒していたところ，予想どおり強盗があらわれたので棒で叩いてこれを撃退した場合には，強盗が侵入した時点において急迫性が認められる。では，CASEのように，相手方の侵害の機会を利用して積極的に加害する意思で侵害に臨んだ場合はどうか。これについて，①本決定と同様に侵害の急迫性が否定されるとする説と，②侵害の急迫性は否定されないが，防衛の意思が否定されうるとする説が対立している。

　思うに，①説は，**積極的加害意思**をもって侵害に臨んだときは，その反撃行為は防衛行為とは認められないという立場であり，上記の決定はこれを急迫性の要件として理解したものと解される。しかし，**急迫性**の有無は，本来の語義どおり客観的に判断されるべきである。すなわち，侵害がなされた時点における客観的な侵害の現在性ないし切迫性の有無で決すべきであり，それ以前における被侵害者の主観的事情を考慮にいれるべきではない。②説が妥当である。したがって，CASEについては，急迫不正の侵害が認められるが，Aらには防衛の意思が否定されるため，正当防衛は成立しないものと解すべきである。

4　関連判例——最判昭46・11・16刑集25巻8号996頁

　Bは，畏怖の念を抱いていた同宿人Cと言い争いになり，一旦旅館を出て居酒屋で酒を飲んだ後，Cにあやまろうと思って旅館帳場に入ったところ，CがいきなりBを手拳で2回くらい殴打し，後退するBにさらに立ち向かってきた。Bはその際，別の目的で買い求めておいたくり小刀があることを思い出し，とっさにこれをを取り出して，殴りかかってきたCを刺殺した。

* 「『急迫』とは，法益の侵害が現に存在しているか，または間近に押し迫っていることを意味し，その侵害があらかじめ予期されていたものであるとしても，そのことからただちに急迫性を失うものと解すべきではない。」Cの加害行為はBの身体にとって「急迫不正の侵害」にあたる。

〔参考文献〕
　刑法判例百選Ⅰ総論［第4版］48頁［西田典之］

第3章 違法性

No. 22 攻撃の中断と急迫性

〈CASE〉 Aは，アパートの2階で日頃から折り合いの悪かったBからいきなり鉄パイプで殴打されてもみ合いになり，いったんはAが鉄パイプを取り上げてBを1回殴打したが，Bはこれを取り戻して殴りかかろうとし，その際，勢い余って2階手すりに上半身を乗り出してしまった。そこでAがBの片足を持ち上げてBを階下のコンクリート道路上に転落させ，入院加療約3か月を要する傷害を負わせた。Aの罪責はどうなるのか。

1 問題のありか

CASE の問題点は，第1に，AがBを2階から転落させる行為にでた時点で，Bの**急迫不正の侵害**がすでに終了していたのか，それとも継続していたのかにある。前者であれば，「急迫不正の侵害」の要件が欠けるので正当防衛にも過剰防衛にもあたらず，傷害罪が成立することになるが，後者であれば，Aの反撃行為の相当性の有無により正当防衛か過剰防衛かが問題になる。第一審・第二審は，正当防衛にも過剰防衛にもあたらないとした。

2 判決要旨──最判平9・6・16刑集51巻5号435頁

＊ 「BのAに対する加害の意欲は，おう盛かつ強固であり，Aがその片足を持ち上げてBを地上に転落させる行為に及んだ当時も存続していたと認めるのが相当である。」。また，Bは，「Aの右行為がなければ，間もなく態勢を立て直した上，Aに追い付き，再度の攻撃に及ぶことが可能であったものと認められる。そうすると，BのAに対する急迫不正の侵害は，Aが右行為に及んだ当時もなお継続していたといわなければならない。」「しかしながら，BのAに対する不正の侵害は，……Bが手すりに上半身を乗り出した時点では，その攻撃力はかなり減弱していたといわなければならず，他方，……Bの片足を持ち上げて約4メートル下のコンクリート道路上に転落させた行為は，一歩間違えばBの死亡の結果すら発生しかねない危険なものであったことに照らすと，……Aの一連の暴行は，全体として防衛のためにやむを得な

い程度を超えたものであったといわざるを得ない。」
3　論点の検討
　「急迫」とは，法益侵害の現在性またはその切迫性を意味する。具体的事案において侵害が終了したか否かの判断が困難な場合があるが，一般論としては，侵害の一部が終了しても侵害者がさらに侵害を加えるおそれがあると認められる場合には，侵害の現在性が肯定される。たとえば，息子が酒に酔った高齢の父親とつかみ合いになり，足払いによって転倒させた父親の背中に馬乗りになったが，父親がさらに強力な攻撃に出るおそれがあったので，その頸部を締め付けて殺害したという事案について，馬乗りになった時点で父親の侵害が終了したとはいえず，息子の殺害行為は過剰防衛にあたるとしたものがある（東京高判平6・5・31判時1534号141頁）。これに対して，すでに終了した過去の侵害に対する正当防衛は認められない。たとえば，相手方から火箸で足を殴打されたが，さらに侵害される危険が去ったにもかかわらず相手方の頭を強打して死亡させた事案について，正当防衛にはあたらないとしたものがある（大判昭7・6・16刑集11巻866頁）。侵害の継続性の判断にあたっては，攻撃が中断した経緯，攻撃者と防衛者の力関係（特に凶器の奪取等の事情），中断前の防衛行為と中断後の反撃行為の相違等の諸事情を総合的に考慮すべきである。
　上記の判決は，BのAに対する「急迫不正の侵害」を肯定したが，AがBを約4メートル下のコンクリート道路上に転落させた行為の危険性を重視して，**防衛行為の相当性**を否定したものと思われる。Aの暴行は過剰防衛にあたる。判決文中に示された諸事情からみて，妥当な結論である。
　下記の関連判例は，急迫不正の侵害がいったん終了したとされたものである。
4　関連判例──最判平6・12・6刑集48巻8号509頁
　酩酊したCがDらの連れの女性に暴行を加えたので，Dらが**反撃行為**を行ったところ，Cは悪態をつきながらも後ずさりするように移動し，その後，Dの仲間が**追撃行為**を行い，Cに傷害を負わせた。
*　Dに関して，反撃行為については正当防衛が成立し，追撃行為については新たな共謀が成立したとは認められない。Dは無罪である。

〔参考文献〕
　前田雅英『最新重要判例250刑法［第4版］』35頁

No. 23　防衛の意思

〈CASE〉　Aは，友人Bとともに車で走行中，路上にいたCら3名に因縁をつけられ，酒肴を強要されたのち，Bの運転する車でCらを居宅付近まで送り届け，下車させたところ，CらがBに飛びかかり，無抵抗のBの顔面，腹部などを殴る，蹴るの暴行を執拗に加えた。Aは，このまま放置すればBの生命が危ないと思い，自宅に駆け戻り散弾銃を持って現場に戻ったところ，BもCらもいなかったので，Bが拉致されたと思い，近くにいたCの妻からBの所在を聞き出そうととして同女の腕を引っ張ったところ，同女が叫び声をあげ，これを聞いて駆けつけたCが「このやろう。殺してやる。」などと言いながらAを追いかけてきた。Aは追いつかれそうに感じたため，Cが死ぬかもしれないと認識しつつ，振り向きざまCに向けて発砲し，加療約4か月を要する傷害を負わせた。Aの罪責はどうなるのか。

1　問題のありか

　正当防衛が成立するためには，36条に掲げられた客観的要件のほかに，主観的正当化要素として「防衛の意思」を必要とするか否かが争われている。学説においては不要説も有力であるが，通説・判例は必要説に立脚している。この立場からは，**防衛の意思**の内容をどのように解するかが問題となる。**CASE**では，急迫不正の侵害の要件は充たされているが，防衛の意思と攻撃の意思が併存している点をどのように評価するかがポイントになる。第一審は過剰防衛の成立を認めたが，第二審は，対抗的攻撃意図をもって対抗闘争行為の一環としてなされたものであるから，正当防衛にも過剰防衛にもあたらないとした。

2　判決要旨──最判昭50・11・28刑集29巻10号983頁

　最高裁は原判決を破棄し差し戻した。

＊　「急迫不正の侵害に対し自己又は他人の権利を防衛するためにした行為と認められる限り，その行為は，同時に侵害者に対する攻撃的な意思に出たものであっても，正当防衛のためにした行為にあたると判断するのが，相当で

ある。すなわち，防衛に名を借りて侵害者に対し積極的に攻撃を加える行為は，防衛の意思を欠く結果，正当防衛のための行為と認めることはできないが，防衛の意思と攻撃の意思とが併存している場合の行為は，防衛の意思を欠くものではないので，これを正当防衛のための行為と評価することができるからである」。

3 論点の検討

「防衛の意思」の内容について，①急迫不正の侵害から自己または他人の権利を積極的に守る意思が必要であるとする目的説（意図説）と，②急迫不正の侵害を認識しつつこれに対応する心理状態で足りるとする認識説が主張されている。緊急状態において冷静な判断を欠いた反撃行為や本能的な反撃行為についても，一概に正当防衛を否定すべきではないので，②説が妥当である。したがって，反撃の際に興奮・狼狽・憤激・逆上し，積極的な防衛の意思が認められない場合や，**防衛の意思と攻撃の意思が併存している場合**でも，直ちに防衛の意思が否定されることにはならないと解すべきである。

判例は一貫して防衛の意思を必要とするが，憤激・逆上して反撃を加えてもただちに防衛の意思を欠くことにはならないとしている（たとえば最判昭46・11・16刑集25巻8号996頁）。その後の動向も含めて判例の立場を要約すれば，攻撃の意図があっても防衛の認識があれば防衛の意思を認めることができる（たとえば下記の関連判例）が，**積極的加害意思**があれば防衛の意思は認められない（たとえば東京高判昭60・10・15判時1190号138頁）ことになる。

Aには防衛の意思が認められ，殺人未遂について過剰防衛にあたるか否かが検討されるべきである。

4 関連判例──最判昭60・9・12刑集39巻6号275頁

Dは，自己の経営するスナック店内でEから一方的にかなり激しい暴行を加えられているうち，憎悪と怒りから調理場にあった文化包丁を持ち出して「表に出てこい」などと言いながら出入り口に向かったところ，Eが物を投げ「逃げる気か」と言って肩を掴むなどしたため，Dはさらに暴行を加えられるのを恐れ，振り向きざま包丁でEの胸部を一突きして殺害した。

* 「急迫不正の侵害に対し自己又は他人の権利を防衛するためにした行為と認められる限り，たとえ，同時に侵害者に対し憎悪や怒りの念を抱き攻撃的な意思に出たものであっても，その行為は防衛のための行為に当たる。」

第3章 違 法 性

No.24　防衛行為の相当性

〈CASE〉　Aは，Bから自動車の駐車位置について苦情を言われ，2度にわたって車を移動したが，その際，Bの粗暴な言動が腹にすえかねたため，「言葉使いに気をつけろ。」と注意したところ，これに立腹したBが「お前，殴られたいのか。」と言って手拳を前に突き出し，足を蹴り上げる動作を示して近づいてきた。Aは本当に殴られるかもしれないと思って恐くなり後ずさりしたが，さらにBが目前に迫ってきたので，車内に置いてあった菜切包丁を取り出して腰のあたりに構えたうえ，約3メートル離れて対峙したBに対して「切られたいか。」などと言って脅迫した。Aの罪責はどうなるのか。

1　問題のありか

　正当防衛が成立するは，防衛行為が自己または他人に権利を防衛するため「やむを得ずにした行為」であることが必要である。そのためには，反撃行為が侵害行為を排除するために必要な合理的手段の1つであること（必要性）と，法益を保全するための行為が侵害を排除する手段として相当であること（相当性）が認められなければならない。この相当性の要件をどの程度厳格に解するかについて学説の対立があるが，今日の通説的見解によれば，正当防衛は急迫不正の侵害に対するものであるから，緊急避難の場合よりもある程度緩やかに解すべきである。したがって，その行為が必ずしも唯一の方法であることを要せず，また，厳格な法益の権衡は必要とされず，著しく**法益の権衡**を失しないことで足りる。CASEでは，素手で殴打しようとし，また足蹴りの動作を示していたBに対して，Aが殺傷能力のある菜切包丁を構えて脅迫したことから，防衛手段としての相当性の範囲を逸脱したのではないかが問題となる。第一審はAを暴力行為等処罰に関する法律1条違反等により有罪としたが，第二審は過剰防衛にあたるとした。

2　判決要旨──最判平1・11・13刑集43巻10号823頁

最高裁は原判決を破棄して無罪を言い渡した。
* Aは，「Bからの危害を避けるための防御的な行動に終始していたものであるから，その行為をもって防衛手段としての相当性の範囲を超えたものということはできない。」包丁を携帯した行為は正当防衛行為の一部を構成するので，銃刀法違反の罪も成立しない。

3 論点の検討

防衛行為の相当性を判断する場合には，①反撃行為によって生じた結果が，たまたま侵害されようとした法益より大きくても正当防衛が認められるが，被侵害法益と保全法益とがある程度均衡していることが必要であり，また，②侵害者および侵害行為の性質と防衛行為の手段・方法等の諸事情（たとえば，侵害者および防衛者の年齢，性別，体力・力量の相違，武器の有無，攻撃の緩急の程度等の具体的状況）を総合的に評価して，社会通念上，防衛行為の妥当性が認められる必要があることに留意すべきである。従来の判例の中には，攻撃者の武器と防衛者の武器が対等であるか否かに着目する，いわゆる「武器対等の原則」に従ったと思われる裁判例もみられる。しかし **CASE** では，Aは，「Bからの危害を避けるための防御的な行動に終始していた」ことが指摘されており，専らBの攻撃を断念させるための防衛手段の相当性が問題になっている点に特徴がある。なお，銃刀法違反に関する訴因が，相手方を脅迫した際の菜切包丁の携帯を起訴した趣旨であるならば，その点についても違法性の阻却を認めたのは妥当であったと思われる。Aは，正当防衛により無罪とされる。

4 関連判例──最判昭44・12・4刑集23巻12号1573頁

Cは，Dと押し問答を続けているうち，Dが左手の中指と薬指をつかんで逆にねじりあげたので，これをふりほどこうとしてDの胸の辺りを1回突き飛ばして仰向けに倒し，その後頭部を駐車していたDの車の車体に打ちつけさせ，加療45日を要する傷害を負わせた。

* 「ヤムコトヲ得サルニ出タル行為」とは，「反撃行為が侵害に対する防衛手段として相当性を有するものであることを意味するのであって，……その反撃行為により生じた結果がたまたま侵害されようとした法益よりも大であっても，その反撃行為が正当防衛でなくなるものではない」。Cの行為は正当防衛にあたる。

第 3 章 違 法 性

No.25 誤想防衛と過剰防衛①

〈CASE〉 Aは，74歳の父Bと口論の末自宅に逃げ帰ったが，追いかけてきたBが勝手土間に入り，棒様のものを持ってAに打ちかかってきた。逃げ場を失ったAは，Bの急迫不正の侵害に対して自己の身体を防衛するため，その場にあった斧を斧と気づかず，何か棒様のものとのみ思い，これを手にしてBに反撃を加えたが，昂奮のため防衛の程度を超え，その斧でBの頭部を数回殴打して昏倒させ，よって同人を死亡させた。Aの罪責はどうなるのか。

1 問題のありか

Aの行為は傷害致死罪（205条）にあたるが，**過剰防衛**が認められれば情状によりその刑が減軽または免除される（36条2項）。同項にいう「防衛の程度を超えた行為」とは，防衛行為が「やむを得ずにした行為」といえない場合，すなわち相当性の程度を超えた行為をいう。これには，必要性と相当性の程度を超えた場合（質的過剰）と，相手方が侵害を止めたにもかかわらず追撃した場合（量的過剰）がある。また，過剰事実について認識がある場合（故意の過剰防衛）と，その認識がない場合（過失の過剰防衛）に分けられ，前者については，故意犯が成立して36条2項が適用されるが，後者については，①誤想防衛として故意が阻却されるとする説と，②認識の範囲で故意犯が成立し，過剰防衛となるとする説が対立している。**CASE** においては，Aが過剰事実を認識していたか否かが問題となる。原審は尊属傷害致死罪（旧205条2項）について過剰防衛とし，36条2項により刑を減軽したが，弁護人は誤想防衛として無罪であると主張した。

2 判決要旨──**最判昭24・4・5刑集3巻4号421頁**

＊ 「原審は斧とは気付かず棒様のものと思ったと認定しただけでたゞの木の棒と思ったと認定したのではない。斧はたゞの木の棒とは比べものにならない重量の有るものだからいくら昂奮して居たからといってもこれを手に持っ

て殴打する為め振り上げればそれ相応の重量は手に感じる筈である。当時74歳の老父が棒を持って打ってかゝって来たのに対し斧だけの重量のある棒様のもので頭部を原審認定の様に乱打した事実はたとえ斧とは気付かなかったとしてもこれを以て過剰防衛と認めることは違法とはいえない」。

3 論点の検討

上記の判決は，Aには「斧だけの重量のある棒様のもの」で反撃することの認識，すなわち相当性の程度を超えることの認識があったと認定することにより，誤想防衛の問題は生じないとした。しかし他方で，「たとえ斧とは気付かなかったとしても」過剰防衛が認められるとしたことから，**過剰事実の認識**を欠いた場合も過剰防衛であるとしたとも解される。この場合について，過剰事実について認識がなくとも急迫不正の侵害が現に存在している以上，結局は防衛の程度を超えたにすぎず，過剰防衛として論ずべきであるとする説も有力である。この説は，行為者の意思が構成要件的結果の惹起に向けられており，行為者はいわゆる規範の問題に直面しているとする。しかし，急迫不正の侵害も防衛行為の相当性も同じ正当防衛の要件であって，両者を別異に取り扱うべき根拠はないこと，また過剰事実を認識していない行為者は，規範に直面しているとは言い難いことから，これを誤想防衛の一場合として論ずべきである。したがって，相当性を誤認したことについて過失があれば過失犯が成立しうるにとどまると解すべきである。

CASEにおいて，Aに相当性の程度を超えることの認識があったとすれば，上記の判決の結論は妥当である。これに対して，下記の下級審判例は，行為者に相当性の程度を超えることの認識がなかったと解したものである。

4 関連判例──盛岡地一関支判昭36・3・15下集3巻3＝4号252頁

平素酒癖の悪いCが夜間泥酔してD方に押し入り，鉄製の火挟みを突きつけて立ち向かってきたので，Dが警察官の到来するまでCを押さえつけているうちに，頸部圧迫によりCを窒息死させた。

＊ 「Dは防衛のため相当な行為をするつもりで誤ってその程度を超えたものであって，いわゆる防衛行為の誤認に外ならず，急迫不正の侵害事実についての誤認と同様に，講学上は誤想防衛の一場合として論ぜられるところのものである。」Dは無罪である。

第3章 違法性

No.26　誤想防衛と過剰防衛②

〈CASE〉　泥酔したAが深夜B宅を訪れて土間に立ち，大声で怒鳴って就寝中のBをゆり起こし，そのふとんを引きはぐなどの暴行を加えたので，BはAをなだめて帰宅させようとしたが，Aはこれを聞き入れず，右肩を突き出して向かって来る態度を示した。そこでBが，Aを実力を以て屋外に退去させるべくAの胸を2，3回強く突いたところ，Aはコンクリート土間の上に転倒し，硬脳膜外出血に基づく脳圧迫および脳挫傷により死亡するに至った。Bの罪責はどうなるのか。

1　問題のありか

　盗犯等の防止及処分に関する法律（盗犯等防止法）1条1項は，同条各号の場合に正当防衛の範囲を拡張し，また2項は，1項各号の場合について広く責任の阻却を認めている。CASEのBの行為は，Aの急迫不正の侵害に対する防衛行為ではあるが，防衛の程度を超えているので正当防衛は成立しない。また，Bは住居侵入者を排斥しようとしたのであり，Bの「生命，身体又は貞操に対する現在の危険」は存在しないので，盗犯等防止法1条1項（3号）の適用も認められない。そこで，同条2項の適用の可否が問題となるが，同項は単に「現在の危険あるに非ずと雖も」と規定するにとどまり，その適用範囲が必ずしも明瞭でないことから，学説・判例の対立が生じていた。
　第一審・第二審は，盗犯等防止法1条1項3号，同条2項の適用はないとし，Bに傷害致死罪の成立を認め，過剰防衛にあたるとした。

2　決定要旨──最判昭42・5・26刑集21巻4号710頁

＊　「盗犯等の防止及処分に関する法律1条2項は，同条1項各号の場合において，自己または他人の生命，身体または貞操に対する現在の危険がないのに，恐怖，驚愕，興奮または狼狽により，その危険があるものと誤信して，これを排除するため現場で犯人を殺傷した場合に適用される規定であって，行為者にそのような誤信のない場合には適用がないものと解するのが相当で

ある。」Bは,「当時相当興奮していたことは認められるが,自己または他人の生命,身体または貞操に対する現在の危険があると誤信していた事実は認められないから,……原審の判断は,その結論において正当である。」

3 論点の検討

盗犯等防止法1条2項は,盗賊等の侵入に遭遇した一般市民が,恐怖・驚愕等のために正常な判断能力を失い,無意識的な反撃行為に出ることがあるので,期待可能性の不存在による責任阻却を認めたものと解される。しかし,その趣旨については,①「現在の危険あるに非ずと雖も」という文言を,「現在の危険がないのにあると誤信した場合」と解し,そのような場合に犯人を殺傷したことについて過失を認めるのは酷に過ぎることから,同項は**誤想防衛**の場合に限られた免責規定であると解する説(立法当局の見解),②誤想防衛と過剰防衛はその情状においてさほどの差異はなく,いずれも行為者の責任について考慮すべき場合であるとして,誤想防衛と過剰防衛の両者についての免責規定であると解する説(通説),および③**過剰防衛**の特殊な場合に限られた免責規定であると解する説が対立している。本決定以前の判例も必ずしも統一的ではなかった。本決定は,同条2項は誤想のなかった本件には適用されないとし,最高裁として初めて①説の立場に立つことを明らかにしたものである。

しかし,通説がいうように,生命・身体等に対する現在の危険がある場合とない場合の区別が困難であること,恐怖・驚愕等の異常な心理状態に陥った者は,誤想防衛の場合も過剰防衛の場合も適法行為の**期待可能性**がないと考えられること,「現在の危険あるに非ずと雖も」とは,「現在の危険があってもなくても」という意味に解しうること等の理由により,同条2項は誤想防衛のみならず,過剰防衛の場合にも適用しうるものと解すべきである。この立場からは,CASEのBにも同条2項を適用し,無罪とすべきことになる。もっとも,Aは泥酔状態で素手による侵害を行ったにすぎないので,これを排除するためにBが殺傷の危険のある実力を行使する必要があったとするのは疑問であり,判旨は結論において妥当であったと思われる。

〔参考文献〕
刑法判例百選Ⅰ総論[第4版]58頁[大嶋一泰]

第3章　違　法　性

No.27　誤想過剰防衛——勘違い騎士道事件

〈CASE〉　空手3段の在日英国人Aは，酩酊したB子とこれをなだめていたCとが揉み合ううちB子が尻もちをついたのを目撃して，B子がCから暴行を受けているものと誤解し，B子を助けるべく両者の間に割って入ったところ，Cが防御のため両こぶしを胸の前辺りに上げたのを自分に殴りかかってくるものと誤信し，自己およびB子の身体を防衛しようと考え，とっさに空手技の回し蹴りをCの顔面付近に当て，同人を路上に転倒させ，その結果，後日死亡するに至らせた。Aの罪責はどうなるか。

1　問題のありか

CASEのAの行為は傷害致死罪（205条）の構成要件に該当するが，その違法性の存否と程度について問題がある。すなわち，Aは自己およびB子の身体を防衛するために防衛行為を行ったが，Cによる急迫不正の侵害が存在せず，この点で**誤想防衛**にあたる。また，仮に急迫不正の侵害があったとしても，Cの顔面付近に回し蹴りを当てた行為は防衛の程度を超えたものと考えられ，この点で**過剰防衛**にもあたる。このような「誤想過剰防衛」といわれる場合をどのように処理するかが問題となる。

第一審は誤想防衛による故意阻却を認めて無罪としたが，第二審は誤想過剰防衛にあたるとし，傷害致死罪の成立を認めて36条2項によって刑を減軽した。

2　決定要旨——最決昭62・3・26刑集41巻2号182頁

＊　「本件回し蹴り行為は，Aが誤信したCによる急迫不正の侵害に対する防衛手段として相当性を逸脱していることが明らかであるとし，Aの所為について傷害致死罪が成立し，いわゆる誤想過剰防衛に当たるとして刑法36条2項により刑を減軽した原判断は，正当である」。

3　論点の検討

誤想過剰防衛について，①発生した事実について故意犯が成立し，錯誤が避けられなかった場合には責任を阻却すると解する故意犯説，②故意を阻却し，

発生した事実について過失犯が成立しうると解する過失犯説，および③相当性の程度を超えたことについて認識がある場合には故意を阻却しないが，それについて認識がない場合には故意を阻却すると解する二分説（通説）が対立している。

　思うに，①説は，誤想防衛は故意を阻却しないとする厳格責任説に立脚するものであるが，違法性阻却事由の事実的前提についての錯誤は規範としての違法性そのものについての錯誤ではなく，そこに行為者の反規範的人格態度を認めることはできないので，これについて故意犯を認めることはできない。また，客観的に正当防衛状況にある過剰防衛の場合に故意犯が成立しうることと対比すれば，②説も支持しえない。そこで，③説により次のように解すべきである。すなわち，過剰事実について認識のある場合には，不正な侵害を誤認しているとはいえ，防衛行為の違法性を知りうるのが通常であるから，発生した結果について故意犯の成立を免れない。ただし，過剰事実について責任を減少させる事情があれば，36条2項を準用して刑の減免をなしうるであろう。これに対して，過剰事実について認識のない場合には，侵害の誤想のみならず過剰性の誤想もあるので，行為者はいわゆる規範の問題に直面しておらず，誤想防衛の一種として故意の阻却を認めるべきである。ただし，過失犯が成立するとしても，情状により36条2項の準用が認められるであろう。

　CASEは過剰事実について認識のある場合であるから，Aに傷害致死罪の成立を認め，36条2項によりその刑を減軽した判旨は妥当である。下記の関連判例も，過剰事実について認識のある場合について，本決定と同趣旨の判断を示したものである。

4　関連判例——最判昭41・7・7刑集20巻6号554頁

　Dの長男EがチェーンでFに殴りかかったが，包丁を持ったFに追い詰められて悲鳴をあげたので，これを聞きつけたDが猟銃を持って道路に飛び出し，それまでの事情を知らないDは，EがFから一方的に攻撃を受けているものと誤信し，その侵害を排除するためFに猟銃を発射して重傷を負わせた。

＊　「原判決がDの本件所為につき，誤想防衛であるがその防衛の程度を超えたものであるとし，刑法36条2項により処断したのは相当である。」

No.28　盗犯等防止法1条1項の解釈

〈CASE〉　高校3年生Aは，Aから金員を奪い取ろうとするBら中学3年生7名から一方的に暴行を受け，専ら防御の姿勢に終始していたが，暴行が数分間に及んだため，やむなく所携のナイフを取り出し，目前に今にも素手で殴りかかろうとしているBを見て，それまでのBの言動に対する腹立ちもあり，やられる前に刺してやれと思い，Bが死亡することがあってもかまわないという認識の下に，その左胸部をナイフで突き刺し，Bを心臓刺創により失血死させた。Aの罪責はどうなるのか。

1　問題のありか

　CASEにおいては，刑法上過剰防衛にあたると思われる事案について，盗犯等の防止及処分に関する法律（盗犯等防止法）1条1項の正当防衛が成立するか否かが問題になる。同条は文理上，刑法36条1項にいう「やむを得ずにした」という要件を規定していないことから，生命，身体，貞操に対する現在の危険を排除するため犯人を殺傷した場合は，刑法上過剰防衛にあたる場合であっても，**盗犯等防止法**によって正当防衛が成立すると解される余地がある。そこで，この両規定の関係をいかに解するかが問題となる。

　第一審（横浜家裁）は，Aの殺人は過剰防衛にあたるとし，中等少年院送致の決定をした。第二審はAの抗告を棄却したため，Aは最高裁に再抗告した。

2　決定要旨──最決平6・6・30刑集48巻4号21頁

＊　盗犯等防止法1条1項の正当防衛が成立するについては，「当該行為が形式的に規定上の要件を満たすだけでなく，現在の危険を排除する手段として相当性を有するものであることが必要である。そして，ここにいう相当性とは，同条項が刑法36条1項と異なり，防衛の目的を生命，身体，貞操に対する危険の排除に限定し，また，現在の危険を排除するための殺傷を法1条1項各号に規定する場合にされたものに限定するとともに，それが『已ムコトヲ得サルニ出テタル行為』であることを要件としていないことにかんがみる

と，刑法36条1項における侵害に対する防衛手段としての相当性よりも緩やかなものを意味すると解するのが相当である」。Aの行為は，強盗に着手した相手方の暴行がAの生命にまで危険を及ぼすようなものではなかったのに，ナイフを示して威嚇することもなく，いきなりBの左胸部をナイフで突き刺して死亡させたものであり，身体に対する現在の危険を排除する手段としては過剰なものであって，相当性を欠くものであるといわざるを得ない。

3　論点の検討

盗犯等防止法1条1項の解釈について，①刑法36条1項の正当防衛の要件を具体的に示した解釈規定ないし注意規定であり，刑法の正当防衛の要件と異なるところはないとする説（立法当局の見解）と，②刑法の正当防衛の要件を緩和し，その成立範囲を拡張したものであるとする説があり，後説はさらに，(a)緩和された相当性は必要であるとする説（通説）と，(b)何らの相当性も必要でないとする説に分かれる。従来の下級審の裁判例には，①説に従ったものと，②の(a)説に従ったものがあったが，本決定によって最高裁は初めて後説に立つことを明らかにした。

思うに，本決定が説示するように，盗犯等防止法1条1項が，同条各号において「生命，身体又は貞操に対する現在の危険」がある場合に限定し，他方で「やむを得ずにした」という要件を明記していないことから，同項が刑法36条1項と同一の要件を規定したものと解するのは無理がある。しかし他方で，盗犯等防止法1条1項の形式的要件を満たせば正当防衛が成立し，**過剰防衛**の余地はないと解するのは，あまりにも正当防衛の成立範囲を拡大することになってしまうであろう。したがって，②の(a)説により盗犯等防止法1条1項の解釈に絞りをかけ，形式的要件を満たしても，具体的事情によっては例外的に違法性が阻却されない場合があることを認めるべきである。どの程度緩和された相当性を必要とするかは今後の課題であり，個別事案の妥当な解決を可能にする具体的な基準づくりが必要であろう。

CASEについては，盗犯等防止法1条1項の正当防衛は成立せず，Aの殺人について過剰防衛（36条2項）が成立しうるにとどまるものと解すべきである。

〔**参考文献**〕
前田雅英『最新重要判例250刑法〔第4版〕』40頁

第3章 違法性

Ⅳ 緊 急 避 難

No.29 現在の危難――村有吊橋爆破事件

〈CASE〉 村が所有する吊橋が腐朽し車馬の通行に危険が生じていたので，AとBは当局に再三にわたって架け替えを要請したが，聞き入れられなかったことから，人工的に落橋させ，雪害によって落橋したように装い，災害補償金の交付を受けてそれによって橋の架け替えをしようと考え，ダイナマイトを使って橋を爆破して川中に落下させた。AとBの罪責はどうなるか。

1 問題のありか

A，Bの構成要件としては，爆発物使用罪（爆発物取締罰則1条）と往来妨害罪（124条1項）が問題となる。

37条の**緊急避難**が成立するためには，(1)行為の状況として，人の行為によるか自然現象によるかを問わず，法益侵害が現在するかまたはその危険が切迫していること（人の生命，身体，自由，財産に対する現在の危険があること，すなわち「危難の現在性」）と，(2)これを避けるための避難行為が，①法益の保全を図るために必要であるだけでなく，他の方法がないという意味での「補充の原則」を満たし，②避難行為によって保全される法益が侵害された法益よりも大きいかまたは少なくとも同等でなければならないという意味での「法益権衡の原則」を満たさなければならない。CASE では，(1)について検討する。

2 判決要旨――最判昭35・2・4刑集14巻1号61頁

＊ 「記録によれば，右吊橋は200貫ないし300貫の荷馬車が通る場合には極めて危険であったが，人の通行には差支えなく，……しかも右の荷馬車も，村当局の重量制限を犯して時に通行する者があった程度……であって，果たしてしからば，本件吊橋による動揺の危険は，少なくとも本件犯行当時……においては原審の認定する程に切迫したものではなかったのではないかと考え

られる。」「仮に本件吊橋が原審認定のように切迫した危険な状態にあったとしても，その危険を防止するためには，通行制限の強化その他適当な手段，方法を講ずる余地のないことはなく，本件におけるようにダイナマイトを使用してこれを爆破しなければ右危険を防止しえないものであったとは到底認められない」として，緊急避難も過剰避難も成立しないとした。

3 論点の検討

　緊急避難の成立要件に1つである**「現在の危難」**は，官憲の救助を求める暇がなく，直ちに避難行為を取らなければ自己または他人の法益が侵害されるという緊急的な状況下にあることをいう。過去や将来の危難については緊急避難は許されない。CASEでは，通行者の生命，身体等に対する危難が現在しているかどうかが問題となる。この「現在の危難」は，判例によれば，「現に危難の切迫していること」，「法益の侵害が間近に押し迫ったこと，すなわち法益侵害の危険が緊迫したことを意味するのであって，被害の現在性を意味するものではない」とされており，正当防衛における「急迫」とほぼ同様に理解されている。この点，学説も同様である。

　もっとも，判例において，豪雨による浸水によって数十反の水田の稲に著しい被害が生じることを避けるために価額40円相当の板堰を損壊した場合，列車乗務員がトンネル内における有毒ガスの発生，熱気の上昇により生命，身体に対する危険を避けるために，牽引車両の3割減車を行ったという場合について危難の現在性を肯定したものがあるが，このように現在の危難を，最低限その避難行為を直ちに行わなければ法益侵害を阻止できなかった場合，すなわち改正刑法草案15条の「他に避ける方法のない緊迫した危難」にあたる場合のみに限定するとすれば，他の方法が不可能ではないが極めて困難な場合に危難の現在性が否定されることになり，緊急避難のみならず，過剰避難の成立範囲を不当に狭めることになろう。この点，自己の生命・身体・自由等に切迫した危害の危険が認められる状況で改造拳銃を製作し不法に所持した場合，自己の生命・身体に対する現に切迫した危険を避けるために自宅から警察署まで酒気帯び運転をした場合，急病人輸送のためにスピード違反を犯した場合につき，過剰避難を認めた下級審判例がある。CASEにおいては，通行の危険の程度により，危難の現在性がないか，または，これがあるとしても補充性を満たさないと思われる。AとBは，爆発物使用罪と往来妨害罪の罪責を負う。

第3章 違 法 性

No.30　避難行為の相当性

〈CASE〉　かねてから不仲であり，酒乱のBが酒に酔って包丁を持ってA方に押し入って来た。Aは車の中に隠れたが，Bに見つかり，Bが自分の車で追跡してきたので，Aは飲酒していたにもかかわらず，車を運転して逃走し，市街地にある警察署に駆け込んで助けを求めた。その際，市街地に入る時点でBの追跡の有無を確かめることは困難であったが不可能ではなく，また電話等で警察に助けを求めることも可能であったとした場合，Aの酒気帯び運転行為に緊急避難は認められるか。

1　問題のありか

　避難行為の補充性は，危難を避けるために他にとるべき方法がなかったことを意味するが，その際，危難を避けるためには，危難を受忍する，退避する，救助を求めるといった方法のほか，危難を除去する，危難を無関係の第三者に転嫁するということが考えられる。危難を除去する場合，その危難が急迫不正の侵害であれば正当防衛となるのに対して，危難を無関係の第三者に転嫁する場合を緊急避難という。正当防衛の場合，相手方が不正侵害を行っているのに対して，緊急避難は危難を無関係の第三者へ転嫁する行為であるから，緊急避難の場合の方が正当防衛に比べて成立要件が一層厳格なものとなる。そこで，緊急避難における避難行為については，他にとるべき方法がなかった，すなわちそれが唯一の方法であったこと（補充の原則）とある法益（保全法益）に迫った危難を避けるために犠牲にした他の法益（侵害法益）とが権衡を保っていること，すなわち保全法益が侵害法益よりも大きいかまたは少なくとも同等であること（法益権衡の原則）とが必要とされている。**CASE**においては，法益権衡の点では問題はない。しかし，市街地に入った後については助けを求めることもできたので補充性の点で問題があろう。

2　判決要旨──東京高判昭57・11・29判時1071号149頁

　＊「市街地に入った後は，B車の追跡の有無を確かめることは困難ではある

が不可能ではなく，適当な場所で運転をやめ，電話連絡等の方法で警察の助けを求めることが不可能ではなかったと考えられる。この点で被告人の一連の避難行為が一部過剰なものを含むことは否定できないところであるが……本件行為をかく然たる一線をもって前後に分断し，各行為の刑責の有無を決するのは相当とは考えられない」として，全体として過剰避難とした。

3 論点の検討

避難行為については，正当防衛と異なり，補充性の点で，できる限り穏やかな方法がとられる必要がある。また，危難の転嫁もその方法が幾つかあるときには，最も被害の軽微な方法をとらなければならない。CASE においては，市街地に入るまでは生命・身体に対する危難を避けるための唯一の行為といえる。しかし，市街地に入った後については，Aの追跡の有無を確かめて，追跡がないときには運転を止めることが必要とされ，また電話連絡等で警察に助けを求めることもできたので補充性の点で問題があろう。補充性が欠ける場合は，**過剰避難**となる。

CASE のように，避難行為が一定の時間継続的に行われる場合，その初めの部分は補充性が肯定されるが，途中から法益侵害のより軽い程度の避難行為が可能となる場合がある。この場合，前半を緊急避難，後半を過剰避難と考えることもできる。CASE では，市街地に入るまでの酒気帯び運転行為を緊急避難とし，市街地に入って以後の酒気帯び運転行為を過剰避難として，酒気帯び運転行為を前後に二分して評価することもできる。しかし，一定の時間，避難行為が継続する場合には，危難が去った後も従前の避難行為を継続することは容易に予想されることであり，避難行為を二分して後半を過剰避難とするよりも，むしろ全体を一体として評価して過剰避難とし，刑の免除を認める余地を残すことも一考に値しよう。

下級審判例には，自動車運転につき緊急避難が問題となった事例では，急病人搬送のための無免許運転，運転不適格者の判定を不満とした障害者の無免許運転につき緊急避難の成立を否定し，急病人搬送・看護のための駐車違反等につき緊急避難の成立を認めたものがある。また，急病人輸送のためのスピード違反につき過剰避難として刑の免除を認めたものがある。

以上により，Aの行為には緊急避難は成立せず，過剰避難となる。

第3章 違法性

No. 31　過剰避難——狩勝トンネル事件

〈CASE〉 峠の頂点にあった狩勝トンネルでは列車が通過する際，有毒ガスの発生と内部の熱気の上昇とにより，乗務員に対する窒息，呼吸困難，火傷の危険があった。労働組合員であったAとBは，国鉄当局にトンネル改修等の要求をしたがこれが通らなかったため，列車の牽引車両の3割減車を行い，トンネル通過時間の短縮を図った。しかし，これが公務員の争議行為を禁止する政令201号の実施により処罰されることとなったので，職場放棄に及んだ。AとBの行為に緊急避難は認められるか。

1　問題のありか

緊急避難が成立するためには，現在の危難が存在するほか，避難行為の**補充性**と**法益権衡性**とが必要とされる。緊急避難は，いわば「正対正」の関係にあって，現在の危難に遭遇した者がこれを避けるために，無関係の第三者に危険を転嫁するものであるから，「不正対正」の関係にあって相手方の不正な侵害に対する反撃行為である正当防衛に比較して，厳格な要件が課されているのである。**補充性**とは，他にとるべき方法がなかったこと，言い換えると，その避難行為がその現在の危難を避けるために唯一の方法であったことを意味する。CASEで問題となるのはこの補充性を満たしているか否かの点である。

2　判決要旨——最判昭28・12・25刑集7巻13号2671頁

＊ 「被告人等が判示狩勝隧道通過の際，判示の如き現在の危難を避けるためには，昭和23年政令第201号施行後においても従来どおり必要なる減車行為を続行すれば足るものであって更に進んで全面的に職場を放棄するが如きことは少なくとも判示危難を避くる為め已むことを得ざるに出でたる行為としての程度を超えたるものであることは極めて明白である」として，緊急避難を否定し，過剰避難とした。

3　論点の検討

緊急避難において，補充性，法益権衡性のいずれかの要件が欠ければ，過剰

66

避難となる（通説）。もっとも，補充性が欠ける場合に過剰避難となるか否かについては若干の議論がある。**保全法益**（避難行為によって守られた法益）と**侵害法益**（避難行為によって侵害された第三者の法益）との二者択一の関係，両立不能の関係は緊急避難の前提状況に過ぎず，正当化事由によって解決されるべきことの以前の問題にすぎないのであって，補充性が欠ければ過剰避難すら成立せず，単なる違法行為となるに過ぎないとする少数説がある。*No. 29*で掲げた最高裁判決も傍論としてではあるが，仮に危難の現在性が認められたとしても，避難行為の補充性が欠けるならば過剰避難も成立しないとしている。しかし，緊急避難の前提条件たる現在の避難の存在と避難行為自体の内容とは別個の次元に属するものであること，補充性を欠く避難行為も，現在の危難に際して法益の保全に向けられているので，その点で違法性が減少すると考えられること，正当防衛において必要とされている防衛行為の相当性が欠けるときは過剰防衛とされていることとの関係をも考慮すると，現在の危難は存在するが補充性が欠けるときは過剰避難とすべきであろう。

CASEにおいて問題となるのは，この補充性の点であるが，避難行為者は第三者の法益を侵害するにあたって最も穏やかな，軽微な方法をとらなければならない。CASEにおいては，AとBは，当初，トンネル内での乗務員の窒息，呼吸困難，火傷の危険という生命，身体に対する危難を避けるため，3割減車という避難手段をとっていたのであるが，これが政令201号違反として処罰される虞があったため，職場放棄という法益侵害の程度がより強度な手段をとった。3割減車という，より軽微な代替手段があったにもかかわらず職場放棄という強度の手段をとったという点で補充性が欠けるとする立場もあるが，3割減車は違法行為として処罰される危険があり，また，職場放棄以外に処罰を避ける手段としては辞職しか残されておらず，辞職すれば生活の方途が絶たれるのであるから，生命，身体に対する危難を避けるための手段としては，職場放棄が唯一の方法であったと考えることができるのではないだろうか。したがって，CASEにおいては，補充性は満たされており，また，乗務員の生命，身体に対する危難を避けるための行為であって，法益権衡性も満たされているから，AとBの行為には緊急避難が認められ，犯罪は成立しない。

V 超法規的違法性阻却事由

| *No.32* | 被害者の承諾 |

〈CASE〉 AはBと共謀して交通事故を装い保険金を詐取しようと企て，自動車を運転して交差点にさしかかった際，信号待ちをしていた停車中のB運転の自動車に自車を追突させ，Bに軽微な傷害を負わせた。Aに傷害罪は成立するか。

1 問題のありか

個人的法益に関する罪について，同意ないし承諾がとくに問題となるのは，傷害罪である。**同意傷害**については，**違法性の本質**についての議論が結論に影響するであろう。基本的には，**行為無価値論**（公序良俗説，社会的相当説）に立てば，行為者の主観・目的，行為態様が公序良俗に反するか否かが問題の中心とされるのに対して，**結果無価値論**（法益衡量説）に立てば，被害者の任意の意思表示があったかどうか，あるいは，生命に危険があったかどうかが問題とされることになる。**CASE**においては，被害者の同意の目的が保険金の詐取であったことから，この同意が有効か否かが問題となる。

2 決定要旨──最決昭55・11・13刑集34巻6号396頁

＊「被害者が身体傷害を承諾したばあいに傷害罪が成立するか否かは，単に承諾が存在するという事実だけでなく，右承諾を得た動機，目的，身体傷害の手段，方法，損傷の部位，程度など諸般の事情を照らして合わせて決すべきものであるが，本件のように，過失による自動車衝突事故であるかのように装い保険金を騙取する目的をもって，被害者の承諾を得てその者に故意に自己の運転する自動車を衝突させて傷害を負わせたばあいには，右承諾は，保険金を騙取するという違法な目的に利用するために得られたものであって，これによって当該傷害行為の違法性を阻却するものではないと解するのが相当である」として，公序良俗説，社会的相当性説に親しむ立場を示している。

3 論点の検討

同意傷害について，そのすべてを可罰的とする見解は見当たらない。その可罰性について，学説には，①全面的に否定する見解（全面否定説）と②部分的に肯定する見解（折衷説ないし部分的肯定説）とがある。①の内部で，さらに，ⅰ）個人の自己決定を重視し，被害者の真意に基づく同意があれば傷害罪の構成要件に該当しないとする構成要件該当性阻却説，ⅱ）同意が完全なものであれば許容すべきであるとする違法性阻却説とがある。②については，かつては，ⅰ）同意傷害が公序良俗に反する場合は違法であるとする公序良俗説が有力に主張されていたが，現在では，ⅱ）同意にもとづく行為が社会的に相当であれば違法性が阻却されるとする社会的相当性説が多く主張されている。他方，②においても，ⅲ）同意傷害の中で生命に危険のあるものについては違法であるとする生命危険説，自己決定の価値と被侵害法益の価値とを比較衡量して前者が優越するときは違法性が阻却されるとする利益衡量説などが主張されている。公序良俗説，社会的相当説は行為無価値論からの主張であり，その他の見解は結果無価値論からの主張といってよい。

　CASE においては，被害者が傷害につき同意を与えた目的が保険金詐取にあったということから，同意の目的が公序良俗に反し，社会的に相当ではないので，公序良俗説，社会的相当説からは同意は無効とされ，傷害罪が成立することになろう。これに対して，全面否定説が傷害罪の成立を否定することは当然である。生命危険説においては，被害者は軽微な傷害を負ったに過ぎないから同意は有効とされ，傷害罪の成立は否定されるであろうし，利益衡量説においても同様であろう。

　同意傷害については，単に同意が存在するという事情だけでなく，同意を得た動機・目的，傷害の手段・方法，傷害の部位・程度など諸般の事情を考慮して，社会的に許容されるものであるか否かによって決すべきものと思われる。したがって，**CASE** において，Aには傷害罪が成立すると考える。

　なお，同意傷害について，下級審判例は，性交中に快感を増すために被害者の同意を得て手で首を絞め死亡させた事案につき，暴行罪の違法性を阻却して過失致死罪の成立を認めたものがある。他方，性交中，妻の同意を得て寝巻着の紐で首を絞め死亡させた事案，性交中，同意を得てナイロン製のバンドで男性の首を絞め続けたため死亡させた事案，ＳＭプレーの際に，前頸部にかかったロープのために妻を窒息死させた事案，同意に基づく「指詰め」の事案については，違法性阻却を認めていない。

No. 33 安楽死——東海大学安楽死事件

〈CASE〉 医師Aは末期ガンで入院中の患者Bを担当していたが、Bが疼痛刺激にも反応せず、いびきのような呼吸となって危篤状態が続いた際、Bの家族から苦痛を除去するため点滴等を抜くことを要請され、そのようにした。その後、家族から「いびきを聞いているのが辛い。楽にしてやってください」と頼まれ、心停止を引き起こす作用のある塩化カリウム20ミリリットルをBに注射し、Bを死亡させた。Aに殺人罪は成立するか。

1 問題のありか

ここでは、Aの行為が違法性を阻却される安楽死の要件を満たすか否かが問題となる。**安楽死**とは、死期が切迫した病者の真摯な要求に基づいてその激しい肉体的苦痛を緩和ないし除去し、病者に安らかな死を迎えさせる行為をいう。安楽死には、①生命の短縮を伴わないで苦痛を緩和・除去する純粋安楽死、②病者の苦痛の緩和・除去の付随的効果として死期が早まる間接的安楽死、③積極的な延命措置を差し控える消極的安楽死、④苦痛を除去するために病者を殺害する積極的安楽死とがある。①が適法であることに問題はなく、②、③についても一般に適法であるとされているが、④については争いがある。

2 判決要旨——横浜地判平7・3・28判時1530号28頁

CASEと類似の事案につき、(1)患者が耐えがたい肉体的苦痛に苦しんでいること、(2)死が避けられず、その死期が迫っていること、(3)肉体的苦痛を除去・緩和するために方法を尽くし他に代替手段がないこと、(4)生命の短縮を承諾する患者の明示の意思表示があること、という4要件を示している。

3 論点の検討

積極的安楽死については、ⅰ)人間的同情や惻隠の情からの行為であること等を論拠として適法とする見解、ⅱ)生命権の具体的内容をなす生命・身体に関する**自己決定権**から、自立的生存の可能性がなくなったときには、本人の自己の生命に対する処分権が許容されるので、本人の意思の実現行為として積極的

安楽死は正当行為となるとする見解，ⅲ）医師の治療義務の限界の問題として取扱い，末期医療における医師に，患者の福利のために行動する裁量の余地を与え，法の威嚇から自由に行動する権利を認めるべきであるとする見解がある。また，医療技術の進歩などによって，従来は積極的安楽死でしか解消できなかった苦痛の多くが消極的安楽死によって解消できるようになったことから，ⅳ）期待可能性を機軸とした責任阻却説も近年有力になってきている。

　これらの見解のうち，ⅰ）は安楽死の方法が倫理的に承認されるものであることが要求されるが，それではほとんど違法性が阻却されることはないとの批判がある。ⅱ）は本人の積極的な嘱託・希望が決定的要件となる。しかし，この見解は，「死ぬ権利」を承認するもので，憲法上「生きる権利」は存在しても「死ぬ権利」，「殺害請求権」は存在しないとの批判がある。ⅲ）に対しては，医師の裁量濫用の懸念が払拭できないとの批判が根強い。治療義務の限界の安易な容認は，生命軽視の一般的風潮をもたらす危険も指摘されている。

　判例は，積極的安楽死も一定の要件を満たせば違法性が阻却されることがあることを認めている。名古屋高判昭37・12・22高刑集15巻9号674頁は，①病者が現代医学の知識と技術からみて不治の病に冒され，しかもその死が目前に迫っていること，②病者の苦痛が甚だしく，何人も真にこれを見るに忍びない程度のものなること，③もっぱら死苦の緩和の目的でなされたこと，④病者の意識がなお明瞭であって意思を表明できる場合には，本人の真摯な嘱託または承諾のあること，⑤医師の手によることを本則とし，これにより得ない場合には医師により得ないと首肯するに足る特別な事情があること，⑥その方法が倫理的にも妥当なものとして認容し得るものなること，という6要件を掲げていた。本判決は，先の名古屋高裁の掲げた要件のうち，⑤と⑥を外し，「死苦」を肉体的苦痛に限定した点，「患者の意思」を明示の意思表示に限定した点が重要な変更点と思われる。本判決は，多くの支持を得ているが，変更点の前者につき，精神的苦痛も含めた「全体としての苦痛」に拡大すべきとの批判，後者につき，患者の明示の意思という要件を満たすのはほとんど可能ではなく，事実上積極的安楽死の違法性阻却を封殺するものであるとの批判がある。

　CASEでは，ⅰ）については明確ではなく，ⅱ），ⅲ），ⅳ）の要件はいずれも満たしていないと思われる。したがって，Aには殺人罪（199条）が成立する。

第3章　違　法　性

| *No. 34* | 憲法上の権利①——東大ポポロ事件 |

〈CASE〉　大学生Aらは，大学公認の劇団主催の演劇発表会に私服警察官4名が情報収集のため入場券を購入し，観客に混じって演劇会の模様を監視していたところを発見した際，逃げようとした警察官Bらと揉み合い，警察官3名を取り押さえ，強硬に警察手帳の提示を求め，これを取り上げたとして，暴力行為等処罰法1条1項（共同暴行）の罪で起訴された。Aらの行為に本罪は成立するか。

1　問題のありか

　明文で認められた法定の違法性阻却事由にあたらなくても実質的にみて違法性が阻却される事由を**超法規的違法性阻却事由**という。被害者の承諾や自救行為もこれに含まれる。学問・思想・表現・集会の自由といった憲法上保障された基本的な自由権の行使に際して，国家・官憲による干渉や妨害がなされたときには，国民はこれを排除し，抗議する権利を有する。このような抗議行動・排除行動につき具体的に緊急の必要性が認められ，これを行うにあたって，過剰なものとなり犯罪構成要件に該当する場合がある。しかし，このような行為は，とかく国家・官憲から侵害を受けやすい国民の基本的人権を保障するため，それを予防し，侵害を回復するうえで必要やむを得ない限度で，超法規的に違法性を阻却したり，あるいは正当行為の一種とみて違法性を阻却することが学説において主張されている。このような場合をとくに「狭義の超法規的違法性阻却事由」という。CASE においては，憲法23条の学問の自由およびそれから派生する大学の自治といういわゆる「憲法的秩序保全の国法上の価値」と身体の安全という警察官個人の価値が対立している。

2　判決要旨——最判昭38・5・22刑集17巻4号370頁

＊　「大学の自由と自治は，大学が学術の中心として深く真理を探求し，専門の学芸を教授研究することを本質とすることに基づくから，直接には教授その他の研究者の発表，その結果の発表，研究結果の教授の自由とこれらを保障するための自治とを意味する……。大学の施設と学生は，これらの自由と

自治の効果として、施設が大学当局によって自治的に管理され、学生も学問の自由と施設の利用を認められる」。「本件集会は、真に学問的な研究と研究の発表のためのものでなく、実社会の政治的社会的活動であり、かつ公開の集会またはこれに準じるものであって、大学の学問の自由と自治は、これを享有しないといわなければならない。したがって、本件の集会に警察官が立ち入ったことは、大学の学問の自由と自治を犯すものではない」。

3　論点の検討

　憲法23条により保障された学問の自由と大学の自治の範囲を限定的に解して、CASEにおけるAらの開催する演劇会をその範囲外のものとすることで、警察官Aらの立ち入りは違法ではないとして、超法規的違法性阻却事由に言及することなく、Aらを有罪とみる立場もある。本判決もこの立場にたつものである。しかし、これに対しては、学問的活動か、政治的社会的活動かは、警察官あるいは裁判所の判断に委ねられる結果になり、「大学の自治」の観点からみて疑問であるという批判がある。理論的には、正当防衛、緊急避難に準じる行為はもちろんのこと、それ以外でも、変動する社会に柔軟に対応するため、非類型的なものでも実質的にみて超法規的違法性阻却事由を承認する途を閉ざすべきではないとする主張があることに注意すべきである。

　CASEにおいては、憲法23条の学問の自由およびそれから派生する大学の自治といういわゆる「憲法的秩序保全の国法上の価値」と身体の安全という警察官個人の価値が対立していることは既述のとおりである。私服警察官Bらの立ち入りは、憲法に保障された学問の自由および大学の自治を侵す違法な行為であり、Aらによって侵害されたAらの個人的法益の価値と自由権擁護行為のもつ国法上の価値並びにこれによってもたらされる憲法的秩序保全の国家的価値とを比較すると、後者の価値の重さは、Aらの暴行より違法性を取り去るに十分なものがあるとして無罪を言い渡した本判決の第一審判決がある。さらに、これらの利益衡量に加えて、動機目的は右大学自治保全の念願にあり、警察官に加えた現実の損害も重くなく、それらの行為も、右会場の管理者において適法に要求し得る警察手帳の提示に関連してなされているにすぎないとして無罪を言い渡した第二審判決が参考になる。ちなみに、超法規的違法性阻却事由の存否を判断する際には、法定の違法性阻却事由と同様、侵害の急迫性、抗議行動の必要性も合わせて検討されるべきであろう。以上のことより、Aらには暴力行為等処罰法1条1項の罪は成立しないものと考える。

第3章 違法性

No. 35　憲法上の権利②——舞鶴事件

〈CASE〉　AおよびBは，帰国者の政府に対する要望につき帰国者代表の行った経過報告，帰国者の生活問題の討議を目的として帰国者700名が参加して舞鶴引揚援護局において開かれた大会に来賓として出席していた。大会開催1時間後，同会がそれより非公開で行われることになり，援護局職員などが退場したが，第1次帰国者で同局相談室に勤務していたC女は，中国事情への興味からそのまま傍聴していたところ，数分後に発見され逃げ出そうとしたため，帰国者数名により演壇前に突き出され種々詰問され，返答がないため，ポケット内のものを提示させられ，講演のメモ内容から同女が政府当局の命で大会に潜入し帰国者の思想探査をしている者と疑われ，会場に隣接する食堂でA，Bらにより，3時間余りの間尋問，調査され，さらにその後Bらにより翌日午前1時頃から午前2時頃まで約1時間局内の一室に抑留監禁された。A，Bの罪責はどうなるか。

1　問題のありか

　A，Bの構成要件は，強要罪（223条）と監禁罪（220条）が問題となり，さらに，CASEにおいては，*No. 34* の CASE と同様，**超法規的違法阻却事由**が問題となる。学問・思想・表現・集会の自由といった憲法上保障された基本的な自由権の行為に際して，国家・官憲による干渉や妨害がなされたときには，国民はこれを排除し，抗議する権利を有するが，このような抗議行動・排除行動につき具体的に緊急の必要性が認められ，これを行うにあたって，過剰なものとなり犯罪構成要件に該当する場合がある。とはいえ，このような行為は，とかく国家・官憲から侵害を受けやすい国民の基本的人権を保障するため，それを予防し，侵害を回復するうえで必要やむを得ない限度で，超法規的に違法性を阻却したり，あるいは正当行為の一種とみて違法性を阻却することが学説において主張されている。このような場合をとくに「狭義の超法規的違法性阻却事由」というのである。CASEでは，憲法上保障された思想および表現の自由

という権利の保全行為と被害者の個人的な行動の自由という法益とが対立している。とくに双方の法益を衡量する際に考慮されるべき要件が問題となる。一方で憲法上の権利が問題となるだけに，必然的に比較的抽象的な利益の衡量となることは否めないが，できるかぎり具体的な要件を示す必要があろう。

2　判決要旨──最判昭39・12・3刑集18巻10号698頁

＊　「被告人等の同女に対する行為は，本件における原判示の如き具体的事態の下において社会通念上許容される限度を超えるものであって，刑法35条の正当行為として違法性が阻却されるものとは認め難い」。なお，本判決は，狭義の超法規的違法性阻却事由に言及していない。その適用可能性については明確にしておらず，あくまで35条の枠に固執して判断している。

3　論点の検討

CASEにおいては，Aらの行為は，思想および表現の自由に対する侵害を排除するための行動であるから目的の正当性，そしてAらが保全しようとした法益はA子の行動の自由という個人的法益に優越するであろうから法益権衡性も認められよう。問題となるのは，**手段の相当性**である。一定程度の時間，すなわちC女が退場しなかった理由が明らかとなるまで，あるいは少なくとも当該集会が終了するまでの間，身柄を拘束するのであれば，手段の相当性は認められよう。しかし，CASEでは，深夜，午前1時から2時頃の間にまで及んで監禁している。この点は過剰というべきであろう。さらに，補充性を要件とすることはどうであろうか。この点，学説は分かれている。CASEにおいては，他にとるべき方法はなかったという意味での補充性は欠けるといえよう。しかし，補充性を要件とすることは，超法規的違法性阻却事由の「超法規的」という実質的な意味を失うばかりか，CASEのように緊急避難というよりむしろ正当防衛に近い形態の事案について，憲法上の権利を救済し，侵害を防止することを不可能にしてしまう虞がある。超法規的違法性阻却事由も違法性阻却事由である以上，正当防衛や緊急避難という法定の違法性阻却事由と同視されるべき実質を有しなければならないことは当然であるが，憲法上の権利の侵害の態様に応じて柔軟に対処するためには，「正対正」の関係に基づく緊急避難において要求されるほどの厳格な補充性の要件を課すのは過度の要求といえよう。Aらの行為には，強要罪および監禁罪が成立する。ただし，目的の正当性，法益権衡性は認められるが，手段の相当性を欠くものとして，過剰防衛の規定を準用すべきであろう。

第3章　違　法　性

違法性阻却事由の一覧

違法性阻却事由
- 実定法上のもの
  - ・正当防衛（36条）
  - ・緊急避難（37条）
  - ・法令行為（35条）
  - ・正当業務行為（35条）
  - ・正当行為（35条）
  - ・公共の利害に関する名誉毀損（230条の2）
- 超法規的なもの
  - ・安楽死
  - ・尊厳死
  - ・自救行為
  - ・被害者の承諾
  - ・義務の衝突

第4章

責任

期待可能性
　その状況に置かれたなら，一般国民が犯罪を犯さなかったという期待ができたであろうかということを考慮し，とても期待できない（期待可能性がない）場合には，非難を負わせるのは差し控えようという考え方。刑法が規範的な観点から責任を問うという思想に基づく。超法規的有責性阻却事由の1つとして捉えられている。

◆刑法用語ミニ辞典◆

第4章 責　　任

Ⅰ　責 任 能 力

No. 36　責任能力の判定基準

〈CASE〉　Aは，友人の妹Bに好意を抱き，結婚を申し込んだが，Bおよびその家族に断られたことから，その一家をうらみ殺害する目的で約80cmの鉄棒をもって，その家をハイヤーで訪ねて，屋内に上がりこみ，携帯する鉄棒で運転手，就寝中の女児3名とその母親（Bの姉），それに悲鳴を聞いて駆けつけた近所の父子2名の各頭部を殴打し，5名を死亡させ，2名に重症を負わせた。

　第一審は，K鑑定などを総合して，Aが精神分裂病で入院および通院治療を受けており，犯行当時精神分裂病の欠陥状態にあったことは認めたが，本件犯行が病気と直接つながりのないことや犯行態様から完全責任能力と認定して死刑を言い渡し，控訴審もⅠ鑑定により，第一審を支持した。しかし，最高裁は，K，Ⅰ鑑定から，Aに分裂病の欠陥状態，本件動機の妄想，公判段階における奇異な行動などにより，限定責任能力の疑いあると職権判断で示し，控訴審判決を破棄差し戻した。差戻後の控訴審では，HおよびT鑑定をもとに総合的に判断して，心神耗弱であると認定して無期懲役に処した。

　責任能力の判定と医師などの鑑定の関係，精神分裂病と責任能力の関係について考えよ。

1　問題のありか

　Aの殺人罪の成否，とくに**責任能力**の判定をめぐって，Aの精神分裂病（統合失調症に病名が変更された）に対する鑑定結果の判断により，第一審および控訴審では，完全責任能力が認められ死刑判決がなされたが，差戻後の控訴審判決では，心神耗弱と認定され無期懲役に処せられた。そこで，鑑定結果に対する法的判断のあり方と精神分裂病と責任能力の関係が問題となる。

2 決定要旨——最決昭59・7・3刑集38巻8号2783頁

* 「被告人の精神状態が刑法39条にいう心神喪失又は心神耗弱に該当するかどうかは法律判断であるから専ら裁判所の判断に委ねられているのであって，原判決が，所論精神鑑定書（鑑定人に対する証人尋問調書を含む）の結論の部分に被告人が犯行当時心神喪失の状況にあった旨の記載があるのにその部分を採用せず，右鑑定書全体の記載内容とその余の精神鑑定の結果，並びに記録より認められる被告人の犯行当時の病状，犯行前の生活状態，犯行の動機・態様等を総合して，被告人が本件犯行当時精神分裂病の影響により心神耗弱の状態にあったと認定したのは，正当として是認することができる」。

3 論点の検討

刑法39条は，心神喪失者の行為は罰しない。心神耗弱者の行為は，その刑を減軽する，と定めている。しかし，**心神喪失者**と**心身耗弱者**の定義やその判定方法にはふれていない。そこで，その判定方法をめぐって精神鑑定と裁判所の法的判断の関係や精神分裂病と責任能力の関係が問題となる。

精神鑑定と裁判所の法的判断の関係について，学説・判例では，責任能力の有無や程度の判断については，精神医学的要素と是非弁別・行為能力にかかわる心理学的要素を基礎にする，裁判官による法的な判断であり，必ずしも鑑定結果に拘束されるものではないと解されている。

精神分裂病と責任能力の関係については，鑑定人が精神分裂病の認定をした場合に無条件に責任無能力と認定すべきかであるが，精神分裂病を直ちに責任無能力と認定するのではなく，具体的な行動との関連性が十分に検討される必要がある。しかし，鑑定などの科学的な判断が尊重されなければ，責任能力の判定は，裁判官による恣意的な判断になる危険性があり，裁判所が合理的な理由なしに鑑定意見を無視するのは許されないと解される。

CASEで，Aの精神鑑定で，精神鑑定書には精神分裂病による心神喪失との記載があったとしても，裁判所はその鑑定書などを総合的に判断して心神耗弱と認定したことは，裁判所の法的権限として認められるが，合理的な理由が必要である。

〔参考文献〕

刑法判例百選Ⅰ総論〔第4版〕70頁〔青木紀博〕

第4章 責　　任

No. 37　過失犯と原因において自由な行為

〈CASE〉　Aは，精神病の遺伝的素質があり，著しい回帰性精神病者的顕在症状（周期的に躁状態とうつ状態を交互に繰り返す精神病）を有しており，多量に飲酒するとその著しい症状が顕在化する可能性があったが，飲食店で多量に飲酒し，ウェイトレスBに絡んだが拒絶されたのに対して激怒して暴行を加えた。Aは，それを止めようとしたCに憤慨し，とっさに傍らにあった肉切包丁でCを突き刺し，即死させた。Aは，犯行当時，酩酊により一次的な心神喪失の状況にあった。Aの罪責はどうなるか。

1　問題のありか

　Aは，多量に飲酒し，病的酩酊の状態において，発作的にCを肉切包丁で殺害したので，傷害致死罪（205条）ないし過失致死罪（210条）の成立が問題となる。Aの行為はいずれも構成要件にも該当し違法であるが，犯行当時，多量の飲酒により酩酊し，心神喪失の状態にあった。39条1項は，心神喪失者の行為を罰しないことを定めている。そこで，犯行当時，心神喪失状態にあったAは責任無能力者として無罪であることが考えられる。
　しかし，犯行時の心神喪失状態が自らの酩酊により一時的に招かれたものであり，しかもAは，酩酊中に他人に暴行を加える性癖があることを自覚していたのであるから，自ら招いた酩酊により**心神喪失**の間になした殺傷につき「原因において自由な行為」の理論を適用して，過失致死罪を認めるべきかが問題となる。

2　判決要旨──最判昭26・1・17刑集5巻1号20頁

＊　「本件被告人の如く，多量に飲酒するときは病的酩酊に陥り，因って心神喪失の状態において他人に犯罪の害悪を及ぼす危険のある素質を有する者は，居常右心神喪失の原因となる飲酒を抑止又は制限する等前示危険の発生を未然に防止するように注意する義務あるものといわねばならない。しからば，たとえ原判決認定のように，本件殺人の所為は被告人の心神喪失時の所為で

あったとしても(イ)被告人にして既に示のような己れの素質を自覚していたものであり且つ(ロ)本件事前の飲酒につき前示注意義務を怠ったがためであるとするならば，被告人は過失致死の罪責を免れ得ないものといわねばならない」。

3 論点の検討

39条1項で心神喪失者を責任無能力者として不処罰とすることは，**責任主義**の根本をなすものである。しかし，その責任能力の欠如が，CASEのAのように，自らの不注意による病的酩酊によって一時的に引き起こされた場合には，その責任についての法的解釈が問題となっている。

病的酩酊による犯罪に対して，初期の判例は，39条の適用を認めず，完全責任能力を認めてきたが，それは，病的酩酊における心神喪失や心神耗弱という現実的な事実を無視するものであり，刑法の責任主義から批判があった。判例は，しだいに，酩酊犯罪における責任無能力を認めるようになったが，一方で酩酊犯罪における責任の否定や減軽は，社会的な法意識とそぐわない面も多い。そこで，犯人自ら招来した酩酊犯罪に対して原因において自由な行為の理論を適用し，その可罰性を肯定する立場が有力になってきた。

原因において自由な行為とは，飲酒などの行為によって自己を一時的に責任無能力の状態に陥れ犯罪を行った場合に，39条の規定を適用せず完全責任能力を認める理論である。すなわち，行為者に飲酒などの責任無能力となる原因行為の時点で責任能力があれば，実行行為の時点で存在しなくても，その犯罪行為の責任能力を認めることができるとするものである。この理論的根拠をめぐって，学説では，**間接正犯類似説**と**行為と責任の同時存在緩和説**の対立がある（詳細は，*No. 38*参照）。

CASEで，Aは，病的酩酊に陥れば犯罪的状態を生ずる危険性を自覚しながら多量の飲酒をして酩酊状態に陥り人を殺害するに至ったのである。したがって，犯行時に心神喪失状態にあったとしても，事前の飲酒の制限や抑止義務を怠った点から原因において自由な行為により，過失致死罪の成立がある。

しかし，傷害致死罪については，飲酒行為の開始の時点では，暴行・傷害の故意がなかったこと，飲酒行為は傷害罪の実行行為の定型性に当たらないことなどから，原因において自由な行為の適用はなく不成立となると解される。

第4章 責　任

No.38　故意犯と原因において自由な行為

〈CASE〉　Aは，過度の飲酒による病的酩酊によって暴力をふるう癖があり，前年にも，酩酊による心神耗弱の状態で，窃盗・住居侵入・強盗未遂の罪で保護観察付きの執行猶予判決を受け，特別遵守事項として禁酒を命じられていた。それにもかかわらず，Aは，犯行前日に，過度の飲酒をして病的酩酊で心神喪失に陥り，その状態で，強盗目的をもって乗客を装ってタクシーに乗り込み，運転手Bの左手首を背後からつかみ，肉切包丁を示して暴行脅迫を加えたが，Bが隙を見て車外に飛び出したのでその目的を遂げなかった。Aの罪責はどうなるか。

1　問題のありか

　Aは，強盗目的でBに暴行脅迫を加えたがその目的を遂げなかったので，強盗未遂罪の成立が問題となる。Aの行為は，強盗目的でBに肉切包丁で，暴行脅迫を行ったのであるから強盗未遂罪の構成要件該当性および違法性を充たしている。しかし，Aは前日の過度の飲酒により強盗の犯罪行為の時には，病的酩酊で心神喪失の状態にあり，39条1項によれば犯罪不成立となる。けれども，その心神喪失は，A自らが禁酒義務に背いて招来した病的酩酊によるものであり，その点に非難可能性があるのでAの行為について原因において自由な行為の理論を適用して完全責任能力を認められるかが問題となる。

2　判決要旨——大阪地判昭51・3・4判時822号109頁

＊　「本件犯行前飲酒をはじめるに当っては，積極的に責任無能力の状態において犯罪の実行をしようと決意して飲酒したとは認められないから，確定的故意のある作為犯とはいえないけれども，右飲酒を始めた際は責任能力ある状態にあり，自ら任意に飲酒を始め，継続したことが認められ，他方飲酒しなければ死に勝る苦痛に襲われ飲酒せざるをえない特殊な状態にあったとは認められず，前叙認定したように被告人は，その酒歴，酒癖，粗暴歴ないし犯歴，前記判決時裁判官から特別遵守事項として禁酒を命ぜられたことをす

べて自覚していたと認められるので，偶々の飲酒とはいえないのみならず，右飲酒時における責任能力のある状態のもとでの注意欠如どころか，積極的に右禁酒義務に背き，かつ，飲酒を重ねるときは異常酩酊に陥り，少なくとも限定責任能力の状態において他人に暴行脅迫を加えるかもしれないことを認識予見しながら，あえて飲酒を続けたことを裕に推断することができるから，暴行脅迫の未必の故意あるものといわざるをえない」。

3 論点の検討

行為者の刑法上の責任が成立するためには，犯行行為時に責任能力があることが要求され（39条），これを**行為と責任の同時存在の原則**という。この原則は，刑法の責任主義の根幹をなすものである。しかし，行為者が，自ら落ち度ある行為によって責任無能力あるいは限定責任能力の状態を招来して犯罪結果を生ぜしめた場合には，一定の要件の下に，行為者に完全責任能力を認める説がある。それが，**原因において自由な行為の理論**である。

この理論に関する学説は，次の2説に大別される。

第1は，**間接正犯類似説**であり，責任無能力状態における自己の身体を道具として利用した点に処罰の根拠を認めるものである。この説では，飲酒行為などの原因行為に実行行為としての性格を認めることになる。しかし，原因行為に実行行為性を求めると，実行の着手時期が早く，犯罪の定型性もあいまいになりやすい。そこで，原因行為に犯罪の構成要件的定型性を求める見解もあるが，故意犯では，原因行為に構成要件的定型性を求めることは困難であり，適用は，過失犯に限られやすい。

第2は，**行為と責任の同時存在緩和説**である。通常は，実行行為と責任の同時存在を意味するが，原因において自由な行為の場合は，処罰感情に対応するために責任主義が緩和され，原因行為と責任の同時存在が満たされればよいとする。この説では，原因行為時の犯罪的な意思決定が実行行為に連続していればよいことになる。

Aの場合には，原因行為に強盗罪の実行行為の定型性が認められず，原因行為に強盗の意思がなく実行行為と意思決定の連続性がないことにより，原因において自由な行為の適用がなく，39条1項により無罪と解される。

第4章 責　　任

No. 39　限定責任能力（心神耗弱）と原因において自由な行為

〈CASE〉　Aは，自分の自動車で配達作業を終えた後，バーで飲酒し，付近の路上に駐車されていたBの軽自動車を勝手に乗り，アルコールの影響で正常な運転のできないおそれのある状態で運転を続け，途中で乗車させたCを畏怖させて金品を喝取した。Aに対して，恐喝罪と酒酔い運転の罪（道交法違反）の罪責が問題となったが，とくに酒酔い運転の行為当時，心神耗弱の状態にあったことが認定された。Aの罪責はどうなるか。それらの罪に対して，39条2項を適用して，刑の減軽を認めるべきか。

1　問題のありか

Aの構成要件としては，Bの軽自動車を勝手に乗り回した行為について窃盗罪，Cから脅迫により畏怖させて金品を交付させた行為について恐喝罪，飲酒運転について，飲酒運転による道交法違反（道交法117条の2第1号）の罪の成立がする。いずれの犯罪も，Aは，飲酒運転の行為の当時に，酩酊により心神耗弱の状態にあったので，39条2項による刑の減軽がなされる可能性がある。しかし，酩酊により自ら招いた限定責任能力の結果，刑が減軽されることは，社会的な法感情からは許しがたく，その合理性にも疑問がある。

とくに，飲酒運転による道交法違反については，責任能力がない場合には**原因において自由な行為の理論**が適用され完全な責任が問われるのに，酩酊がそれほど進んでおらず心神耗弱の場合には，限定責任能力者として刑が減軽されるというは非常に不合理である。そこで，限定責任能力の場合にも，原因において自由な行為の理論を適用して完全責任能力を認めて，39条2項の規定の適用を否定できるかが問題となる。

2　決定要旨——最決昭43・2・27刑集22巻2号67頁

原審では，道交法違反の罪について，「被告人は，心神の異常のない時に酒酔い運転の意思があり，それによってけっきょく酒酔い運転をしているのであるから，運転時には心神耗弱の状態にあったにせよ，刑法第39条第2項を適用

する限りではない。」と判示した。
（上告棄却）
＊ 「本件のように，酒酔い運転の行為当時に飲酒酩酊により心神耗弱の状態にあったとしても，飲酒の際酒酔い運転の意思が認められる場合には，刑法39条2項を適用して刑の減軽をすべきではないとするのが相当である」。

3　論点の検討

　限定責任能力の場合に，**原因において自由な行為の理論**を適用して，完全責任能力を問えるかは，学説上対立がある。

　否定説は，**間接正犯類似説**で，原因において自由な行為の理論を間接正犯類似の構造に求める説であり，心神耗弱の状態においては自己を完全な道具とすることができないとする。この説では，心神耗弱の場合は，原因において自由な行為の適用はなく，39条2項により刑の減軽を認めることになる。しかし，この結論には，心神喪失の場合には完全な道具となり，完全な責任を負うのに対して，心神耗弱の場合には限定責任能力として刑が減軽されるのは不合理であるという批判がある。そこで，**「故意ある道具」の理論**によって限定責任能力における道具性を基礎づける見解もあるが，少数説である。

　肯定説は，**行為と責任の同時存在緩和説**で原因において自由な行為は，実行行為と責任の同時存在を必要とするのではなく，原因行為と責任の同時存在があればよいとする説である。実行行為の開始以前の一定の時期に責任能力があり，その意思決定と実行行為に連続性があれば，実行行為時に心神喪失であるか心神耗弱であるかは責任の完全性に関係しないと解される。

　限定責任能力の場合に原因において自由な行為の適用を完全に否定することは，責任無能力の場合との均衡を失するものであり，その適用を認めて39条2項の適用が否定される場合があると解される。

　CASEのAの場合に，飲酒運転による道交法違反の罪については，否定説の結論は，責任無能力の場合との均衡を著しく失するものとなり妥当でなく，原因において自由な行為の適用により，39条2項の適用は否定すべきである。しかし，窃盗罪や恐喝罪については，原因行為である飲酒行為と実行行為に意思の連続性がないことから，原因において自由な行為は適用されず39条2項による刑の減軽が認められる。

第4章 責　　任

No. 40　実行行為と責任能力

〈CASE〉　Aは，畑仕事の後で焼酎を飲み始めたところ，妻Bと保険金の受取りをめぐって口論となり，Bが言うことをきかないので，腹立ちまぎれに焼酎を飲み続け，Bに対して，手拳で頭部や顔面を殴打した。さらに酩酊の度合いを強め，殴打や足蹴りを続けたが，自らが敷居につまずいて興奮し，Bを踏みつけたり，肩たたき棒で頭部を滅多打ちにするなどにより，Bを外傷性ショックにより死亡させた。AはBに致命傷を与えた時点では，多量の飲酒により心神耗弱の状態にあった。Aの罪責はどうなるか。

1　問題のありか

　AはBに対して暴行や傷害行為を継続して行い，Bを死に至らしめたのであるから，Bに対する傷害致死罪の成立が問われる。AのBへの暴行や傷害行為は，執拗に継続し，激しいものであったので，Bの致死に対する予見可能性および相当因果関係は成立するものと解され，傷害致死罪の構成要件該当性と違法性は認められる。

　しかし，AはBに対する暴行や傷害の途中から，多量の飲酒によって病的酩酊に陥り，心神耗弱の状態になったが，その後も暴行や傷害を継続し，Bを死に至らしめた。Bの致死を起因した行為は，心神耗弱の状態においてなされたのである。そこで，Aに傷害致死罪という結果的加重犯の致死に対する完全責任を認めるのか，それとも，限定責任能力者として39条2項により刑を減軽すべきかが問題となる。

2　判決要旨──長崎地判平4・1・14判時1415号142頁

＊　「本件は，同一の機会に同一の意思の発動に出たもので，実行行為は継続的あるいは断続的に行われたものであるところ，被告人は，心神耗弱下において犯行を開始したのではなく，犯行開始時において責任能力に問題はなかったが，犯行を開始した後に更に自ら飲酒を継続したために，その実行行為の途中において複雑酩酊となり心神耗弱の状態に陥ったにすぎないもので

あるから，このような場合に，右事情を量刑上斟酌すべきことは格別，被告人に対し非難可能性の減弱を認め，その刑を必要的に減軽すべき実質的根拠があるとは言いがたい。そうすると，刑法39条2項を適用すべきではないと解するのが相当である」。

3　論点の検討

犯罪の実行行為の途中で酪酊状態に陥り，限定責任能力となった場合に，39条2項を適用して刑を減軽すべきかという問題で，判例には，その適用を否定したものがみられる（大阪地判昭58・3・18判時1086号158頁）。この場合も，傷害致死罪の事案であるが，犯行の前半部分では責任能力に問題がなく，犯行途中から飲酒による錯乱状態に陥ったものであるが，責任能力の認められる時点での暴行が致死の結果をもたらしたもので，**CASE** のように，心神耗弱状態後の暴行が致死の結果を生じさせる主因となった場合とは異なっている。

責任能力のある段階における犯罪性が決定的に重要で結果は因果的過程に過ぎないと解される場合には，**行為と責任の同時存在の原則**は，犯罪の全過程にわたり完全に貫かれている必要はなく，実行行為開始時に責任能力を備えていればその後の結果発生は因果関係の問題にすぎないからである。

しかし，**CASE** のように責任能力のある段階での犯行には致死への因果性が認められず，限定責任能力における加害行為が致命的である場合に，行為者の完全な責任を問うためには，**原因において自由な行為**の適用が必要である。この理論には，**間接正犯類似説**と，**行為と責任の同時存在緩和説**があるが，前説では，限定責任能力の場合には，その道具性を認めることが困難である。そこで，後説により実行行為との責任の同時存在を緩和し，原因行為と実行行為との間に意思決定の連続性，認められれば完全責任能力を問うことができると解される。

CASE では，Aの酪酊による心神耗弱に陥ってから加害行為が，Bの致死に決定的な役割を果したのであるが，Aの責任能力が認められる時点での加害意思が，心神耗弱後も連続してBの死の結果を生じたのであるから，原因において自由な行為の理論が適用される。その結果，Aに傷害致死罪が成立し，完全責任能力が認められるため，39条2項による刑の減軽は認められないと解される。

〔参考文献〕
刑法判例百選I総論〔第4版〕74頁〔岩井宜子〕

第4章 責　任

II　故　意

| No. 41 | 未必の故意 |

〈CASE〉　Aは，Bから衣類を75点買い受けた。その売買の際，Bは「早く処分しなければならない」といっていた事情があり，なお，近頃，衣類の盗難が各地で発生し，Aとしては，もしかしたら盗品ではないかとの疑いをもっていたとする。Aの罪責はどうなるか。

1　問題のありか

　Aが問われる可能性のある構成要件は，盗品等有償譲受け罪（256条2項）である。この犯罪は，客体が「盗品その他財産に対する罪に当たる行為によって領得された物」であって，有償で譲り受けた場合に成立するものである。ちなみに，この客体は，平成7年の改正前は「贓物」（盗品）と呼ばれており，罪名も贓物故買罪と呼ばれていたものである。CASEにおいて，Aはその客体に関して，あるいは盗品ではないかとの疑いをもっていたにすぎないとする。問題は，この程度の主観的要素ではたして故意犯としてよいか，ということである。なお，この罪は過失処罰の規定がないから，故意が認められなければ無罪となるわけであり，それだけに故意の成否は大きな問題である。

2　判決要旨——最判昭23・3・16刑集2巻3号227頁

＊　「贓物故買罪は贓物であることを知りながらこれを買受けることによって成立するものであるが，その故意が成立する為めには必ずしも買受くべき物が贓物であることを確定的に知って居ることは必要としない。或いは贓物であるかも知れないと思いながら，しかもあえてこれを買受ける意思（いわゆる未必の故意）があれば足りるものと解すべきである故に，たとえ買受人が売渡人から贓物であることを明に告げられた事実がなくても，いやしくも買受物品の性質，数量，売渡人の属性，態度等諸般の事情から『或は贓物ではないか』との疑を持ちながらこれを買受けた事実が認められれば贓物故買罪

88

が成立するものと見て差支ない」。

3　論点の検討

　故意犯が成立する場合の典型例は、行為者が、自分の行うところから構成要件に該当する結果が発生することを予見した上で、あえてその結果の発生をねらって行為する場合である。これが**確定的故意**である。これに対し、自分の行うところから結果が発生するかもしれないが（逆にいうと、必ずしも発生しないかもしれない——これが未必の意味）、発生するならしてもかまわないと思って行為する場合が、**未必の故意**といわれる。これについても、故意の中に含まれると解される。なぜ、このような未必の故意でも故意犯として処罰することができるのか。これは、故意犯が過失犯とちがって重く処罰される理由にかかわる。すなわち、行為者が結果の発生を予見しながら、少なくともそのような結果が発生してもかまわないと認容しつつ行為するときは、一般に、犯罪的な結果の発生する可能性が高く、かつ、当人が規範に反することを十分に承知の上でのことであるから許されない、と評価することができるからである。

　未必の故意と境を接するのが**認識ある過失**であり、その区別の基準については、およそ3説がある。①蓋然性説は、犯罪実現の高度の蓋然性（そうなることが十分に予測できること）を認識した場合に故意を認める。②認容説は、犯罪事実を認識しかつ認容した場合に故意を認める。③動機説は、結果の発生を認識しながら、行為を思いとどまる動機としなかった場合に故意を認める。私は、故意責任を認めるためには、少なくとも結果発生があってもかまわないという認容を必要とするべきと考える。Aには盗品等有償譲受け罪が成立する。

4　関連判例——大判大12・2・16刑集2巻97頁

　Cは、Dからばかにされて激怒し、懐中に持っていた短刀を抜き、殺害の結果を生ずることを予想しながら、Dの左側鎖骨中央部を突刺し出血多量のため死亡させた。

* 「被告人は、短刀をもって他人の身体中重要部分に刺傷すれば、その結果あるいはその人を殺害することあるべきを予想し、すなわち確定的にあらざるも、不確定的に殺人の結果を認識し、判示被害者の身体中器要部に属する左側鎖骨中央上部を突き刺したることを明確なれば、被告人に殺人の故意あり」。

第4章 責　　任

| *No. 42* | 条件付故意 |

〈CASE〉　AはM組の舎弟頭であるが，舎弟B，C，Dとの間で，Eから貸金問題について明確な回答が得られないときは，結着をつけるために，暴力的手段に訴えてでもEを強制的に連行しようと相談していた。そして，当初Aは，Eと貸金問題についていま一度話し合ってみる余地もあると考えていたものの，犯行現場に向かう自動車内でBらの言動から，BらがEの抵抗いかんによってはこれを殺害することも辞さないとの覚悟でいるのを察知し，犯行現場に到着した際には，Bらに対し，Eの応対が悪いときに，その後の事態の進展をBらの行動に委ねる旨の意思を表明した。その後，BとCが刺身包丁でEの左前胸部等を突き刺したうえ，転倒したEを自動車後部座席に押し込む際，Aは「早よ足を入れんかい」などと指示し，さらに，自動車内でCが刺身包丁でEの大腿部を突き刺したのに対してもなんら制止をしなかった。Eは車内で出血多量で死亡した。Aの罪責はどうなるか。

1　問題のありか

　故意犯が成立するためには，行為者が現在の事実を認識するとともに，将来について予見し，その中で，自分の行うことが犯罪的な結果に結びつくことを理解している必要がある。その点で，ある行為をなしたときに，将来ありうることをどの程度予見している必要があるか，問題となる場合がある。

2　判決要旨——最判昭59・3・6刑集38巻5号1961頁

　第一審は，Aには傷害の故意しか認められないので，Bらの殺人罪の構成要件と重なり合う限度で，軽い傷害致死罪の範囲において共同正犯を認めた。これに対し，控訴審は破棄自判して，Aに未必的な殺意を認定したのである。弁護人は，上告趣旨において，本件においては，事態が殺害にまで発展しないように話し合おうとするAの行為が継続中に，Bらの別の計画が実行されてそれが殺害の結果を生じたのであるから，Aの意思そのものは確定的でなかった，

と主張した。

* 「原判決は,指揮者の地位にあった被告人が,犯行現場において事態の進展をBらの行動に委ねた時点までには,謀議の内容においてはBらによる殺害が被害者の抵抗という事態の発生にかかわっていたにせよ,Bらによって実行行為を遂行させようという被告人の意思そのものは確定していたとして,被告人につき殺人の未必の故意を肯定したものであると理解することができる。

したがって,被告人につき殺意の成立を肯定した原判決の判断はなんら所論引用の判例と相反するものではないから,所論は理由がない」。

3 論点の検討

判決は,控訴審が,Aによる被害者殺害の意思が確定的でなかったようにみえる点は,そうではなく,犯行現場において,Bらに事態の進展を委ねた段階で,Aの意思は確定しているから,殺人の**未必的故意**は認められるとした。

なお,上告趣旨では最決昭56・12・21刑集35巻9号911頁の判例を引用して原判決が判例違反である旨の主張をしているので,触れておこう。その事案は,Fは,GとHとの間で,IがJの所に押しかけまたは喧嘩となるなどの事態になれば,Iを殺害するもやむをえないとして,I殺害の共謀を遂げ,その際,現実に殺害の実行に着手すべき右の事態については,Gら現場に赴く者の状況判断に委ねられていたというものであった。そして,判決は,「謀議された計画の内容においては被害者の殺害を一定の事態の発生にかからせていたとしても,そのような殺害計画を遂行しようとする被告人の意思そのものは確定的であったのであり,被告人は被害者の殺害の結果を認容していたのであるから,被告人の故意の成立に欠けるところはない」と判示していたのである。

このように,昭和56年判例は,**共謀共同正犯**の場合であって,被害者の態度によって殺害計画を実行に移そうという内容であった。昭和59年のCASEは**実行共同正犯**であり,AがBらと共に現場にいただけに,かえって,AとBらとの間に意思のくい違いがあれば,1つの殺害計画としてまとまらなかった可能性がある。CASEの第一審判決はそのような見地に立ったものといえる。上告趣旨が述べるように,仮にAが舎弟頭ではなく,単なる相談役にすぎなかったり,AがBらの殺害行為を制止しきれなかったことなどが事実であったとすれば,結論は違ってくる可能性がある。Aには殺人罪が認められ,Bらと共同正犯である。

第4章 責　　任

No. 43　意味の認識

〈**CASE**〉　アメリカ人Aは，覚せい剤約3,000グラムが内蔵されている布製ベストを着用して成田空港から密輸入し，そのうち，約2,000グラムを都内のホテルの一室で所持した。Aは，覚せい剤輸入罪および所持罪で起訴されたが，覚せい剤であることの認識がなかったと主張した。Aの罪責はどうなるか。

1　問題のありか

Aの行為が覚せい剤取締法に違反するというためには，客体が覚せい剤であることの認識がなければならない。少なくとも覚せい剤かもしれないという未必の故意が必要である。ところが，Aは，本件物質が覚せい剤であると特定して認識していたとまでは認め難いものの，それが覚せい剤を含む身体に有害な違法薬物類であるという概括的なものとして認識していたようである。

2　決定要旨──最決平2・2・9判時1341号157頁

原判決は，次のように，概括的故意の成立を認めたのであった。「覚せい剤輸入罪・所持罪が成立するためには，輸入・所持の対象物が覚せい剤であることを認識していることを要するが，この場合の対象物の認識は，その対象物が覚せい剤であることを確定的なものとして認識するまでの必要はなく，法規制の対象となっている違法有害な薬物として，覚せい剤を含む数種の薬物を認識予見したが，具体的には，その中のいずれの一種であるか不確定で，特定した薬物として認識することなく，確定すべきその対象物につき概括的認識予見を有するにとどまるものであっても足り，いわゆる概括的故意が成立する」。

では，最高裁は以上のような法理を認めるであろうか。

＊　「原判決の認定によれば，被告人は，本件物件を密輸入して所持した際，覚せい剤を含む身体に有害で違法な薬物類であるとの認識があったというのであるから，覚せい剤かもしれないし，その他の身体に有害で違法な薬物かもしれないとの認識はあったことに帰することになる。そうすると，覚せい

剤輸入罪，同所持罪の故意に欠けるところはないから，これと同旨と解される原判決の判断は，正当である」。

3 論点の検討

Aが密輸入したのは，客観的には覚せい剤であるが，仮に本人がそれをあくまで麻薬であると認識していたとすれば，それは**抽象的事実の錯誤**であって，発生した結果との関係で故意犯は成立しない（***No. 46***参照）。したがって，Aがその客体を違法な薬物であると認識している程度では，構成要件が重なり合っている範囲で，そのもっとも軽い犯罪の故意犯が認められるにすぎない。これに対し，覚せい剤かもしれないし，その他の薬物かもしれないというのであれば，覚せい剤であることについて**未必の故意**があるといえるから，故意犯の成立を認めてさしつかえない。最高裁の判断はこの趣旨と解される。Aには覚せい剤についての故意犯が認められる。

4 関連判例──東京地判平3・12・19判夕795号269頁

Bは，トルエンを含有するシンナー約265ミリリットルをみだりに吸入する目的で所持したとして，毒物及び劇物取締法違反の罪で起訴された。ところで，Bはトルエンの入っていないシンナーを吸っても処罰されないということを知っていて，本件以前には実際にトルエンが含有されていないシンナーを選んで吸っており，本件行為の際も「シンナー乱用防止対策品」と表示された缶を所持していた。

＊ 「故意の成立を認めるには，その事実を認識していることが，当該行為が違法であり，してはならない行為であると認識する契機となりうることが必要であり，また，それで十分であるというべきである。そこで，トルエンを含有するシンナーについていえば，トルエンという劇物の名称を知らなくとも，身体に有害で違法な薬物を含有するシンナーであるとの確定的又は未必的な認識であれば足りる。本件被告人は，過去の経験から，トルエンを含有しないシンナーを吸入し，又はその目的で所持しても，犯罪にならないことを知っていたというのであるから，当該シンナーにはトルエンが含有していないと思っていたとすれば，右の認識を欠き，故意がないことになり，吸入目的の所持罪が成立しないことは，明らかである。……被告人には当該シンナーにトルエンが含有されているとの確定的又は未必的な認識があったという証明はないから」無罪である。

第4章 責任

Ⅲ 錯　　誤

No. 44　打撃の錯誤と故意の個数

〈CASE〉　Aは，会社社長Bが秘書Cと歩いているのを認識していながら，Bを殺害するつもりでBに向けピストルを撃った。ところが，弾丸はBには当たらず，Bの1メートル後方を歩いていたCの腹部を貫通し，さらに，30メートル後方にバイクでやってきたDの腹部に命中した。Cは全治2か月の重傷を負い，Dは即死した。Aの罪責はどうなるか。

1　問題のありか

　CASEはいわゆる講壇事例である。**事実の錯誤**について検討する場合に注意するべきは，どの部分が錯誤かをはっきりさせる必要があるということである。というのは，CASEのように，AがBを狙撃するときに，CがAの視野に入っていて，場合によってはCに当たっても致し方ないとAが思っていたと解されるときは，Cはそもそも故意の対象に含まれると解されるからである。すなわち，AはBとの関係で殺人の確定的故意，Cとの関係で殺人の未必の故意が認められる。

　CASEで**打撃の錯誤**として検討すべきは，30メートル後方にバイクでやってきたDのみであるということになる。事実の錯誤は，発生した結果との関係で故意犯が認められるかどうかの問題であるから，CASE全体が故意の成否の問題であるといえる。

2　論点の検討

　具体的事実の錯誤において，打撃の錯誤の場合，学説は3つに分かれている。①行為者の意図した結果が発生していれば，反規範的な態度に対して非難を負わせることができるから，発生した数の故意犯が認められる（法定的符合説の数故意犯説）。②故意は原則として1個であり，どの客体に故意が認められるかは狙った客体との関係でとらえるべきである。行為者が認識していなかった

客体との関係では、過失として評価すれば足りる（具体的符合説）。③故意は1個であるが、故意犯は発生した結果の中で重いものに対して認めていくのが規範的評価としてふさわしく、刑罰の均衡からも妥当である（法定的符合説の一故意犯説）。

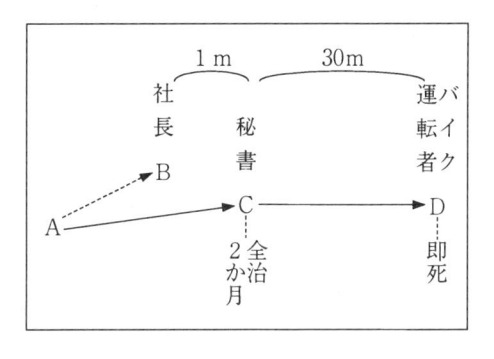

```
         1m      30m
  社       秘       運バ
  長       書       転イ
    ↘B    C────────→D者ク
  A───────→           即
          2全          死
          か治
          月
```

学説の通説は、上の①の立場であり、判例はこれを支持する。**CASE** では、B・Cとの関係で2つの殺人未遂罪、Dとの関係で殺人既遂罪となる。これに対し、責任主義の観点と理論の一貫性を重んじれば②が妥当といえよう。③は①と②を折衷してバランスある結論を得ようとするものである。ただし、③は、仮に **CASE** でCに対しても打撃の錯誤とされるときは、後にCが死亡したりすると、殺人既遂罪の認められる客体がDからCに移転することになる。②は、B・Cの両者の関係で殺人未遂罪、Dには重過失致死罪（211条1項後段）となり、殺人既遂罪の評価がでてこない点で①・③から批判を受ける。私は、どの見解も欠陥を含んでいることを踏まえて、②の立場を支持したい。

3　関連判例──**最判昭53・7・28刑集32巻5号1068頁**

Eは警察官Fから拳銃を奪う目的で、周囲に人影がないのを見て、Fの背後からびょう打銃を撃ったが、Fには加療5週間のけがを負わせて拳銃を奪取できず、びょうは、約30メートル先の通行人Gにあたり、Gに加療2か月のけがを負わせた。判決は、FとGの両者に対する関係で強盗殺人未遂罪を認めた。

＊「犯罪の故意があるとするには、罪となるべき事実の認識を必要とするものであるが、犯人が認識した罪となるべき事実と現実に発生した事実とが必ずしも具体的に一致することを要するものではなく、両者が法定の範囲内において一致することをもって足りる……人を殺す意思のもとに殺害行為に出た以上、犯人の認識しなかった人に対してその結果が発生した場合にも、右の結果について殺人の故意があるものというべきである」。

〔参考文献〕
刑法判例百選Ⅰ総論〔第4版〕88頁〔中森喜彦〕

第 4 章　責　　任

No. 45　因果関係の錯誤——砂末吸引事件

〈CASE〉　A女は，夫と先妻との間に生まれた長男Bとかねて情を通じていたが，私通が暴露すると不面目となるのを憂い，Bの殺害を決意して，約8・9尺の細麻縄で熟睡中のBの頸部を絞扼したところ，Bは体が動かなくなった。A女はBが既に死亡したものと思い，犯行の発覚を防ぐ目的で，頸部の麻縄を解かずにBを背負って千数百メートル隔たった海岸砂上に運び，放置して帰宅した。ところが，Bはその時点ではまだ死亡しておらず，砂末を吸引したため窒息死した。A女の罪責はどうなるか。

1　問題のありか

因果関係の錯誤において，行為者の故意が阻却されることはないかが問われる。因果関係の錯誤の典型的な例では，CがDを川で溺死させようとして崖から突き落としたところ，Dは途中の岩角で頭を打ち，即死したというものがある。この場合，CがDを殺害するために考えていた因果の経路と実際に発生した因果の経路にくい違いがあるが，この程度のくい違いがあっても，Cの故意を阻却する必要はないと思われる。

それに比べると，**CASE**はやや複雑である。A女がBを殺害しようとした時点でBは死亡しておらず，A女がBを死体として遺棄しようとした行為によって，砂末吸引というA女にとっては意外な展開となってBは死亡したのである。仮に本問について，A女の行為を2段に分けると殺人既遂罪（199条）は認められないことになる。すなわち，前段は殺人未遂罪（199条・203条）である。後段において，行為者の意図は死体遺棄罪（190条）であり，発生した結果はBの死亡である。客体が死体でないので死体遺棄ということはありえないから故意犯は成立せず，殺害については故意がないので殺人罪は認められない。客体が生きているか死んでいるかを十分確かめずに放置したという点で注意義務違反があるとすれば，重過失致死罪（211条1項後段）を認めるほかないであろう。では，裁判所はどのような判断を示しているのか。

2　判決要旨——大判大12・4・30刑集2巻378頁

＊　「被告の殺害の目的をもってなしたる行為の後，被告がBを既に死せるものと思惟して犯行発覚を防ぐ目的をもって海岸に運び去り，砂上に放置したる行為ありたるものにして，この行為なきにおいては砂末吸引を惹起すことなきは勿論なれども，本来前示のごとき殺人の目的をもってなしたる行為なきにおいては，犯行発覚を防ぐ目的をもってする砂上の放置行為もまた発生せざりしことは勿論にして，これを社会生活上の普通観念に照し，被告の殺害の目的をもってなしたる行為とBの死との間に原因結果の関係あることを認むるを正当とすべく，被告の誤認により死体遺棄の目的に出でたる行為は毫も前記の因果関係を遮断するものにあらざるをもって，被告の行為は刑法第199条の殺人罪を構成する」。

3　論点の検討

仮にA女の行為について，前段と後段を通してA女に殺意がある場合なら，A女に殺人既遂罪を認めることは異論がない。後段の行為が，犯行の発覚を防ぐ目的による死体遺棄行為としてではなく，頸部をしめて殺したつもりだが，万が一息を吹き返してはまずいので，念を押して海岸砂上に放置したのなら，そう解することができる。ところがそうではなく，前段の故意はあくまで殺人であるが，後段の故意が明らかに死体遺棄にとどまるのであるとすれば，前段の故意行為からCASEのような結果の発生することが通例といえるのでなければ，発生した結果について因果関係は認められないといえる。

判例の論理をたどってみると，前段のような殺人の目的をもってなした行為がなければ，犯行発覚を防ぐ目的で砂上の放置行為もなされるわけはないとしている。しかし，問題は，首をしめて殺そうというような行為がなされた場合，その後，被害者を海岸砂上に放置するような行為が通常なされるかどうかである。以上の検討から明らかなように，CASEは前述の典型例と同日には論じられない。因果関係の錯誤では，「結果がまさしく故意によって実現されたといえる場合と，故意犯の実行にともなって偶発的に過失的結果が生じた場合とを区別する」（刑法判例百選I総論［第4版］32頁［井田良］）ことが肝要である。私は因果関係の錯誤について，一律ではなく，場合に応じて区別すべきと考える。A女には殺人未遂罪が成立するにとどまる。

第4章 責　　任

No. 46 抽象的事実の錯誤

〈CASE〉　Aは，自己の居室において，法定の除外事由がないのに，覚せい剤であるフェニルメチルアミノプロパン塩酸塩を含有する粉末0.044グラムを麻薬であるコカインと誤認して，所持した。なお，覚せい剤所持の法定刑は10年以下の懲役，麻薬所持の法定刑は7年以下の懲役である。Aの罪責はどうなるか。

1　問題のありか

　行為者の意図した犯罪と現実に発生した犯罪との間にくいちがいがあり，両罪の構成要件を異にする場合，**抽象的事実の錯誤**と呼ばれる。

　抽象的事実の錯誤（異なる構成要件間の錯誤）の場合に，故意犯が認められる余地があるか。抽象的符合説が故意の成立を認める見解を示している。今日では，その立場を採る学者はほとんどいないが，かつて主張された理由は次の通りである。たとえば，他人の飼っている犬を殺そうとして石を投げたところ，当って死亡したのが，実は人間だったという場合，発生した結果について故意が阻却され，仮に過失致死罪（210条）が成立するとなると，犬を殺そうと思って犬を殺した場合の方が，犬を殺そうと思って人を殺してしまった場合より重くなるという矛盾が生ずる。そこで，一般に重要な法益が侵害されたようなとき，せめて軽い法益については未遂であっても既遂として扱おうとするものである。しかし，このような見解は，構成要件の枠を崩すことになって**罪刑法定主義**の立場からは許されず，他方，今日では器物損壊罪（261条）の法定刑の上限である3年より重い5年の懲役の法定刑を用意した重過失致死罪（211条1項後段）が存在するので，刑罰の権衡の観点からの矛盾は一応解消しているといえよう。

　では，法定的符合説や具体的符合説では，抽象的事実の錯誤の場合，どのように処理するのであろうか。両説とも**構成要件が重なり合っている範囲**で軽い犯罪の故意犯として認められるとする。そこで，次に問題となるのは，どのよ

うな場合に構成要件が重なり合っているといえるかである。**CASE** のように，覚せい剤取締法と麻薬取締法というように，そもそも法律が異なっている場合にもそのような関係があるといえるか，問題となる。

2　決定要旨——最決昭61・6・9刑集40巻4号269頁

＊　本件において，被告人は，麻薬所持罪を犯す意思で覚せい剤所持罪にあたる事実を実現したことになるが，「両罪は，その目的物が麻薬か覚せい剤かの差異があり，後者につき前者に比し重い刑が定められているだけで，その余の犯罪構成要件要素は同一であるところ，麻薬と覚せい剤との類似性にかんがみると，この場合，両罪の構成要件は，軽い前者の罪の限度において，実質的に重なり合っているものと解するのが相当である。被告人には，所持にかかる薬物が覚せい剤であるという重い罪となるべき事実の認識がないから，覚せい剤所持罪の故意を欠くものとして同罪の成立は認められないが，両罪の構成要件が実質的に重なり合う限度で軽い麻薬所持罪の故意が成立し同罪が成立するものと解すべきである」。

3　論点の検討

　抽象的事実の錯誤の場合に，構成要件が重なり合っているということをどのような観点から判断するかについて，裁判所は，実質的な観点からなされるべきことを明らかにし，**CASE** では，その共通性として薬物犯罪であるところに着目したものと解される。Aには麻薬所持罪の故意犯が成立する。

　なお，**CASE** については，もう1つの問題があった。それは，麻薬所持罪が成立するとされているのに，覚せい剤を**没収**することができるかという問題である。本決定は，「成立する犯罪は麻薬所持罪であるとはいえ，処罰の対象とされているのはあくまで覚せい剤を所持したという行為であり，……このような薬物の没収が目的物から生ずる社会的危険を防止するという保安処分的性格を有することを考慮すると，この場合の没収は，覚せい剤取締法41条の6によるべき」としている。この点については，成立していない犯罪に関して没収という刑罰を科すことになり罪刑法定主義に反するとの批判もある（山口厚「薬物の所持と適条」法教73号127頁）。谷口裁判官の補足意見では，「主刑の場合は，人の責任に対応した刑罰であるが，附加刑としての没収は，犯罪を契機として物に対し排害処分を行うものである」として，決定を支持している。没収に関して罪刑法定主義をゆるやかに解してよいのか，検討の余地がある。

第4章　責　　任

No. 47　違法性の意識——百円札サービス券事件

〈CASE〉　Aは，飲食店の宣伝のため，表面に百円紙幣と同寸大・同図案のデザインで上下2か所に「サービス券」と記載したものを作成しようとして，警察署で知合いの巡査に相談したところ，通貨及証券模造取締法の条文を示され，紛らわしい外観にならないよう助言を受けたが，助言を重大視せず作成した。その後，Aはサービス券を先の巡査に渡したところ，格別の注意を受けず，逆に同僚らに配布してもらった。Bはそのサービス券を見て自分も作成したいとAに相談したところ，警察に配布して相当の日時が経過しているのに別に何の科もないと聞かされ，Bも同様のサービス券を作成した。AとBは通貨及証券模造取締法1条違反で起訴されたが，それぞれ，違法性の意識がなかったことについて相当の理由があるとして争っている。この点について検討せよ。

1　問題のありか

　行為者が自分の行ったことについて，法的な観点から許されないと意識していることを**違法性の意識**という。そして，本来，違法であることを意識していなければならないにもかかわらず，行為者が違法でないと思っていた場合が**違法性の錯誤**である。**CASE**は，違法性の錯誤の問題である。

　国家が犯罪を認定し，国民に刑罰を科すことが認められているのは，行為者が違法性の意識を有しながら，あえて，あるいは不注意でそれに違反しているからにほかならない。仮に行為者にそのような違法性の意識を全く必要としないとするならば，それは，刑法が規範的な観点から非難を負わせるのだという，責任主義を放棄することにほかならないといえよう。

　ところが，判例は，故意の成立に違法性の意識は不要とする立場を一貫して採っている。思うに，これは，行為者を処罰するために違法性の意識が必要だという建前と，裁判上，違法性の意識があったと立証されることが別個の問題であるという立場にほかならないであろう。なぜなら，一般国民は，通常なさ

れる行為に関して，それが許されないかどうかは容易に判断できるから，いちいち立証するまでもないためである。このように捉えないかぎり，判例は合理的な根拠を見い出せない。したがって，具体的事例において，行為者が違法でないと判断するもっともな理由があったとすれば，その主張には耳を傾ける必要がある。

しかし，判例は一顧だにしない。そこで，下級審判例の中には，違法性の錯誤について「相当な理由」があった場合には故意を阻却するという折衷的な見解が示されることになる。事実，CASEの第一審では，その点が検討されている。すなわち，「違法性の錯誤につき相当の理由があると言い得るためには，確定した判例や所管官庁の指示に従って行動した場合ないしこれに準ずる場合のように，自己の行為が適法であると誤信したことについて行為者を非難することができないと認められる特段の事情が存在することが必要である」としながら，A・Bそれぞれの行為について相当の理由がないとして，有罪としている。

2　決定要旨——最決昭62・7・16刑集41巻5号237頁

＊　被告人が，「違法性の意識を欠いていたとしても，それにつきいずれも相当な理由がある場合には当たらないとした原判決の判断は，これを是認することができるから，この際，行為の違法性の意識を欠くにつき相当の理由があれば犯罪は成立しないとの見解の採否についての立ち入った検討をまつでもなく，本件各行為を有罪とした原判決の結論に誤りはない」。

3　論点の検討

本決定が，被告人の行為について，違法性の意識を欠いたことに相当な理由はないとした原判決を是認した点は，最高裁判例として従来にない姿勢である。というのは，純粋に違法の意識不要説によるなら，相当の理由のあるなしを検討すること自体に意味がない，として排除すれば済むからである。その意味では，本決定は，違法性の錯誤に相当な理由があれば故意を阻却するとの下級審の法理に一歩近づいたといえよう。

なお，CASEについては，AならびにBは，その行うことについて許されないことだと評価する機会は十分に与えられていたのであるから，違法性の錯誤について相当な理由があるとはいえない。したがって，A・Bが有罪だと評価されたことは是認できる。

第4章　責　任

No. 48　規範的構成要件要素の錯誤──チャタレー事件

〈CASE〉　洋書を翻訳出版することを企図した出版会社社長Ａは，翻訳本の内容に性的描写の記述のあることを知っており，出版すれば世間からいわゆる「エロ本」と同視されるかもしれないと思いながらも，その本自体がわいせつ物販売罪にいうわいせつ性を具備することの認識までは持たないまま，警世的意図からそれを出版，販売した。Ａの罪責はどうなるか。

1　問題のありか

　Ａの行為がわいせつ文書販売罪（175条）にあたるというためには，Ａに，わいせつな文書を販売することの認識がなければならない。ところが，「わいせつ」という構成要件要素は**規範的要素**であるから，記述的要素と異なり，その意味の確定には裁判官による評価が必要となる。したがって，当該文書が「わいせつ性」を具備しているかどうかの判断は，裁判官の価値的・評価的判断を必要とするものであるから，わいせつ文書販売罪の故意があるというためには，性的描写の記述があることを知っていたという外部的表面的な表象があるだけでは十分ではない。その文書が「わいせつ」な文書であるという「意味の認識」が必要である。それでは，規範的構成要件要素の「意味の認識」はどの程度の認識を必要とするのか，またＡには，文書のわいせつ性について意味の認識があったといえるのか，が問題となる。

2　判決要旨──**最大判昭32・3・13刑集11巻3号997頁**

＊　わいせつ文書販売罪における「犯意の成立については問題となる記載の存在の認識とこれを頒布販売することの認識があれば足り，かかる記載のある文書が同条所定のわいせつ性を具備するかどうかの認識まで必要としているものでない。かりに主観的には刑法175条のわいせつ文書にあたらないものと信じてある文書を販売しても，それが客観的にわいせつ性を有するならば，法律の錯誤として犯意を阻却しないものといわなければならない。わいせつ性に関し完全な認識があつたか，未必の認識があつたのにとどまっていたか，

または全く認識がなかつたかは刑法38条3項但書の情状の問題にすぎず，犯意の成立には関係がない」。

3　論点の検討

上記判決によれば，「わいせつ」という規範的構成要件要素の認識は，性的描写の記述があることの認識（外形的事実の認識）で足り，性的描写の記述があることでその文書が「わいせつ」文書に該当することの認識（意味の認識）までは必要ではないとされる。単に外形的事実の認識をもって足りるとするのであれば，Aは，当該文書が「わいせつ」文書にはあたらないと思い，単に警世的な意図から翻訳本を出版，販売したとしても，内容に性的描写の記述があることを知っていた以上，その行為はわいせつ文書販売罪となる。

他方，学説は，規範的構成要件要素については，**意味の認識**を要することでほぼ一致しており，この場合の意味の認識は，意味内容の完全な認識（専門家的認識）である必要はなく，社会的一般的に理解される程度の意味の認識で十分であるとする。したがって，Aは，当該文書が「わいせつ」文書にあたることまで認識してはいなかったが，世間からエロ本と同視されるおそれのある文書であるとの認識は持っていたのであるから，Aに当該文書の「わいせつ性」についての意味の認識が欠けるとはいえない。「わいせつ性」についての社会的一般的意味の認識は，当該文書がわいせつ文書販売罪にいう「わいせつ」文書にあたることの認識ではなく，性的描写の記述が存在するために当該文書が一種の「エロ本」の類であるという認識があることで十分だからである。

では，Aが当該文書を「エロ本」と認識していたが，この類の文書がわいせつ文書販売罪にいう「わいせつ」文書にあたると思わなかった点―法律の錯誤―について考えよう。従来，**法律の錯誤**は故意を阻却しない（違法性の意識不要説）とするのが判例の基本的見解とされてきたが，近年，違法性の錯誤につき相当の理由があるときは故意を阻却する方向性を示す判例もあり，下級審にはそれを明言するものも少なくない（映画「黒い雪」事件控訴審判決――東京高判昭44・9・17高刑集22巻4号595頁）。しかし，Aの錯誤にやむを得ない事情があったとはいいがたく，Aの行為はわいせつ文書販売罪にあたるといえよう。

〔**参考文献**〕
刑法判例百選I総論［第4版］98頁［田中利幸］，100頁［長井長信］

第4章 責　任

No. 49　事実の錯誤と法律の錯誤①——たぬき・むじな事件

〈CASE〉　Aは，狩猟法で捕獲を禁じられている「たぬき」を，その地方で「十文字むじな」と俗称されている別の動物であると誤信して，これを捕獲した。Aの錯誤は事実の錯誤か法律の錯誤か。

1　問題のありか

CASE において狩猟法違反の故意が成立するには，Aに「たぬき」を捕獲することの認識が必要である。しかし，「たぬき」を「むじな」という別の動物であると誤信しているので，Aには「たぬき」を捕獲するという事実の認識はない。他面，実際は「たぬき」である「むじな」を「むじな」と知って捕獲した以上，事実の認識はあり，ただ禁猟獣である「たぬき」と「むじな」は別の動物であると誤信している点が法律の錯誤であると考えることもできよう。

Aの錯誤が事実の錯誤であるか法律の錯誤であるかは故意犯の成否に影響を与える。とくに，故意の成立に違法性の意識を不要とする判例の立場によれば，法律の錯誤は故意の成立に影響を与えず，ただ，その情状によって刑を減軽されるにすぎない。事実の錯誤か法律の錯誤かという問題は，CASE のように，事実と法律が密接に結びついている行政犯においては重要である。

2　判決要旨——大判大14・6・9刑集4巻378号

＊　「狩猟法において捕獲を禁ずるたぬき中に俚俗にいわゆるむじなをも包含することを意識せず，したがって十文字むじなは禁止獣たるたぬきと別物なりとの信念の下にこれを捕獲したるものなれば，狩猟法の禁止せるたぬきを捕獲するの認識を欠如したるや明らかなり」。

3　論点の検討

行政刑罰法規における事実の認識は，規範的構成要件の場合と同様に，外形的事実の認識では足らず，社会的一般的意味の認識が必要とされる。ところで判例は，「たぬき・むじな事件」における錯誤を**事実の錯誤**とする一方で，後述の「むささび・もま」事件を**法律の錯誤**の場合とし，同様の事件で異なる判断

をしている。そこで，学説では，社会的一般的意味の認識の有無という点から事実関係を見て，前者は後者と異なり，「たぬき」の社会的一般的意味の認識を欠くから事実の錯誤の場合であるとして判例の立場を支持する見解が多くなっている。たしかに事実の認識は単なる外形的事実の認識では足らず，社会的一般的意味の認識を要するが，意味の認識に多くを求めると，とくに行政犯の場合には，構成要件に該当する事実の認識についての問題と行為の違法性についての問題の区別が不明確になるおそれがある。狩猟法上の構成要件的事実である「たぬき」を認識することは，「狩猟法上禁猟獣である『たぬき』」を認識することであるから，全く別の動物をそれと誤信したのであればともかく，実際は「たぬき」である「むじな」を禁猟獣である「たぬき」とは別の物と誤信したにすぎないから，この錯誤は「あてはめの錯誤」であり，法律の錯誤に他ならない。被告人の地方では「たぬき」と俗称「むじな」は別の物と信じられていたという事情は，法律の錯誤において，その錯誤が避けられたか否か（錯誤に相当の理由があるか否か）を判断する資料として検討されるに止まる（責任説・制限的故意説）。したがって，Aの錯誤が避けられないものといえるならば，Aの故意犯の責任は阻却される（責任説）。このように考えれば，両事件は共に法律の錯誤の問題であるといえよう。ただ，違法性の意識不要説の立場をとる判例としては，**CASE**をも法律の錯誤とすると，たとえやむを得ない事情があってもAは故意犯としての責任を免れないため，Aの錯誤を事実の錯誤とすることで，不当な結論に至ることを回避したものと理解できよう。

4　関連判例──大判大13・4・25刑集3巻364頁（むささび・もま事件）

Eは，その地方で「もま」と俗称されている動物を，狩猟法上の禁猟獣であるむささびとは別の物と信じてこれを捕獲した。

> 「むささびと『もま』とは同一の物なるにかかわらず，単にその同一の物なるを知らず，『もま』はこれを捕獲するも罪とならずと信じて捕獲したるにすぎざる場合においては，法律をもって捕獲を禁じたるむささび，すなわち，『もま』を『もま』と知りて捕獲したるものにして，犯罪構成に必要なる事実の認識に何らの欠缺あることなく，ただその行為の違法なることを知らざるにとどまるものなるが故に……」。

〔参考文献〕
刑法判例百選Ⅰ総論［第4版］94頁［斉藤信宰］
刑法の争点［第3版］72頁［齋野彦弥］

第4章 責　　任

No. 50　事実の錯誤と法律の錯誤②

> 〈CASE〉　Aは，養鶏，養兎と鳥獣の標本制作を業としていたが，野犬による被害に悩み，防御策として罠を仕掛けたところ，ポインター種の犬が罠にかかった。犬は首輪をはめていたが鑑札はつけていなかったので，県の飼犬取締規則を誤解して，無鑑札の犬は他人の飼犬であっても直ちに無主犬にみなされるものと信じてこれを撲殺し，その皮をはいでなめした。Aの錯誤は事実の錯誤か法律の錯誤か。

1　問題のありか

　法令・規則を誤解し，他人の犬であっても無鑑札であれば無主犬にみなされると信じてこれを撲殺し，その皮をはいでなめしたAには，「他人の物」を損壊・窃取したという認識は欠けるのか。それとも，Aには，その犬が他人の飼犬であるとの認識はあるから，物の「他人性」についての認識に欠けるところはなく，ただ，法令・規則を誤解して，他人の飼犬でも鑑札がなければ無主犬とみなして撲殺することも許されると信じていたにすぎないから，Aの錯誤は法律の錯誤であるかどうかが問題である。

2　判決要旨——最判昭26・8・17刑集5巻9号1789頁

＊　「被告人の前記供述によれば，同人は，右警察規則等を誤解した結果，鑑札をつけていない犬は，たとえ他人の飼犬であっても直ちに無主犬とみなされるものと誤信していたというのであるから，本件は被告人において右錯誤の結果，判示の犬が他人所有に属する事案について認識を欠いていたものと認むべきばあいであったかもしれない。されば原判決が，被告人の判示の犬が他人の飼犬であることはわかっていた旨の供述をもって，直ちに被告人は判示の犬が他人の所有に属することを認識しており，本件について犯意があったものと断定したことは，結局，刑法38条1項の解釈適用を誤った結果，犯意を認定するについて審理不尽の違法があるものといわざるをえない」。

3　論点の検討

　物の「他人性」は規範的要素であるから，故意の成立には意味の認識が必要

である。そこで，Aが，法令・規則を誤解して「他人性」の意味を認識せず，罠にかかった犬は無主犬であると信じてこれを撲殺したのであれば，Aには「他人の物」を損壊するという構成要件の事実の認識がないから，その錯誤は事実の錯誤として故意を阻却するとの見解が少なくない。また，この見解によれば，判例もまた同旨であると理解されている。

しかし，**規範的要素**において意味の認識が必要であるのは，その意味の確定に裁判官による価値的評価的判断を要するため，単なる外形的事実の認識だけでは不十分だからである。他面，規範的要素の意味の認識は専門家的認識まで必要とするものではなく，社会的一般的意味の認識で足りるとされる。そうであれば，Aは，首輪をつけた犬が他人の飼犬であることを認識しているのであるから，「首輪をつけた自分の物ではない犬」という意味において，物の「他人性」を認識しているといえよう。したがって，法令・規則を誤解して，首輪をしていても無鑑札の犬は無主犬とみなすと誤信した点は，無鑑札であれば他人の犬であっても無主犬扱いすることが許されるものと誤信したことに他ならないから，法律の錯誤であるといえよう。論者の中には，一般的「他人性」の認識を認めながら，法令・規則の誤解によってその認識が打ち消されて「他人の物ではない」という判断に達したことは構成要件に属する法律的事実の錯誤であるから故意を阻却するとする見解もあるが，疑問である。

CASEについて，判例は，他人性という事実の認識を欠いた場合である可能性を示しているが，同時に，他人の飼犬であることを認識していたとの被告人の供述だけで犯意を認めた原判決に審理不尽の違法があると述べており，必ずしも，法令・規則の誤解の結果として事実の認識が欠ける場合のあることを明示したともいい難い。むしろ，状況等を十分に検討したうえで事実の認識の有無について判断することを求めたもの（破棄差戻）ともいえよう。ただ，当時の社会状況では捨て犬が多く，飼犬と野犬とが識別困難であるため，無鑑札であれば野犬と誤信することもやむを得ない事情があれば，違法性の意識不要説をとる判例としては，この点から事実の錯誤として故意を阻却する可能性もあろう。責任説をとる筆者としては，Aの錯誤は法律の錯誤であって，ただその錯誤が避けられない事情が認められる場合に責任が阻却されると考える。

〔**参考文献**〕
刑法判例百選Ⅰ総論［第4版］92頁［立石二六］

第4章 責　　任

No. 51　事実の錯誤と法律の錯誤③

〈CASE〉　株式会社Xの代表者Aは，自らの会社が特殊公衆浴場を経営するについて県知事の許可を受けていなかったが，その浴場経営は実父Bが県知事から営業許可を受けて始めたものであったので，許可の申請者を実父から株式会社Xに変更しようとした。しかし，公衆浴場法では申請者の変更は認められず，Aが公衆浴場を経営するには新たに営業許可を申請する必要があった。ところが，風俗営業等取締法の改正により，Aの区域では既存の営業のほかには新たな営業が許可されないこととなったため，Aは県会議員を通じて陳情し，知事あての公衆浴場営業許可申請事項変更届を保健所に提出したところ，変更届が知事に受理されたとの連絡を受けたので，営業が許可されたものと認識して営業を続けた。その後，変更届ないしその受理は無効であるとの通知がなされたが，これによって，Aの変更届受理後の営業は，公衆浴場法上の無許可営業罪にあたるのか。

1　問題のありか

　公衆浴場法は，2条1項で「業として公衆浴場を経営しようとする者は，政令の定める手数料を納めて都道府県知事の許可を受けなければならない」と定め，その違反には罰則規定を置いている（同法8条1項）。したがって，公衆浴場法の無許可営業罪が成立するには，Aに，知事の「許可なく」営業するという認識が必要とされる。では，Aが，変更届受理の連絡を受けたために「許可をうけて」営業していると誤信したことは，「許可なく」営業するという認識を欠いたものとされるか。それとも，Aは，それまで無許可で続けてきた公衆浴場の営業が変更届受理によって許されたと誤信したのであるから，Aの錯誤は法律の錯誤であるかどうかが問題である。

2　判決要旨──最判平1・7・18刑集43巻7号752頁

＊　「……被告人が変更届受理によって被告会社に対する営業許可があったと認識し，以後はその認識の下に本件浴場の経営を担当していたことは，明ら

かというべきである。……してみると……本件浴場の営業については，被告人には「無許可」営業の故意が認められないことになり，被告人および被告会社につき，公衆浴場法上の無許可営業罪は成立しない」。

3　論点の検討

行政処分の効果を誤信したことによって構成要件要素の認識を誤った場合については，法令・規則を誤解した場合と同様に，法律的事実の錯誤であって故意を阻却するとして判例の見解を支持する論者が多い。変更届の受理は営業の「許可」であると誤解した結果，「無許可」という意味の認識が欠けているためであるとされる。しかし，Aは，それまで無許可で営業を続けてきており，かつ，公衆浴場法上，申請者変更は認められないこと，ならびに，風俗営業等取締法の改正によって新規の営業許可は認められないことを認識しているのであるから，「無許可」営業の意味の認識はあったといえよう。ただ，変更届の受理によって，Aは，それまでの「無許可」営業が許可されたと誤信したにすぎないから，その錯誤は法律の錯誤にすぎないものと思われる。

CASE のように，「無許可」が構成要件の要素である場合，その意味の認識は行為の違法性の認識ときわめて密接に結びついているため，この場合の錯誤が果たして**事実の錯誤**なのか**法律の錯誤**なのか明確に区別することはきわめて難しい。限界的場合といえるであろう。「無許可」が構成要件の要素となっている場合，「無許可」の意味の認識が欠けるということは，実際には「許可」を得ていないのに得たものと誤信することであるから，行為が法的に許されないにもかかわらず許されると誤信した場合として法律の錯誤であるとするのが妥当ではないだろうか。法律の錯誤であるとした上で，錯誤が避けられないものであったかどうかという点から故意犯の責任を阻却する（責任説）か否かを検討していくべきであると思われる（制限的故意説の立場からも同様の結論が期待されよう）。**CASE** では，実際，浴場の定期的検査を行ってきた保健所からも誰からも営業許可を問題とされなかったこと，あるいは，変更届受理が社会的に問題とされはじめてからAが自発的に経営を中止していることなど，Aが営業を「許可」されたと誤信したことは避けられないと思える事情も散見できるようであるので，Aの責任が阻却される可能性も考えられよう。

[参考文献]
　刑法判例百選Ⅰ総論［第4版］96頁［阿部純二］

第4章 責　　任

No. 52　法律の不知

〈CASE〉　Aらは，村内にある村有の橋が腐って車馬の通行が危険となったので，橋の架け替えを村当局に再三要請したが実現しないため，雪害によって落橋したように装って災害補償金の交付を受ければ橋の架け替えも容易であろうと考えて，ダイナマイトを使って橋を爆破した。Aらは，爆発物取締罰則1条を知らず，ダイナマイトを勝手に使うことが悪いことと知ってはいたが，罰金ぐらいですむものと思っていた。Aらは，38条3項但書の適用によって，その刑を減軽されるか。

1　問題のありか

Aらの行為は爆発物取締罰則1条違反と往来妨害罪にあたるが，Aらは，ダイナマイトを勝手に使う行為の違法性を認識してはいても，爆発物取締罰則1条が死刑または無期もしくは7年以上の懲役または禁錮に処せられるような重罪であることを知らなかったのであるから，それについて，38条3項但書によって刑を減軽されるかが問題となる。すなわち，38条3項および同但書の解釈，および，その解釈の前提となる**法律の錯誤**についての見解の妥当性をめぐる問題である。なお，CASE は No. 29 と同じものである。

2　判決要旨──最判昭32・10・18刑集11巻10号2663頁

＊　「刑法38条3項但書は，自己の行為が刑罰法令により処罰さるべきことを知らず，これがためその行為の違法であることを意識しなかったにかかわらず，それが故意犯として処罰される場合において，右違法の意識を欠くことにつき斟酌または宥恕すべき事由があるときは，刑の減軽をなしうべきことを認めたものと解するを相当とする。従って，自己の行為に適用される具体的な刑罰法令の規定ないし法定刑の寛厳の程度を知らなかったとしても，その行為の違法であることを意識しているばあいは，故意の成否につき同項本文の規定をまつまでもなく，また前記のような事由による科刑上の寛典を考慮する余地はあり得ないのであるから，同項但書により刑の減軽をなし得べ

きものでないことはいうまでもない」。

3　論点の検討

判例は，以前から，故意の成立に**違法性の意識**は不要であるとする違法性の意識不要説をその基本的立場としてきた。これによれば，38条3項は，自然犯，法定犯を問わず違法性の錯誤は故意を阻却しない旨を，また同但書は，違法性の意識を欠如したことについて情状があれば刑を減軽し得る旨を述べたものとされる。したがって，Aらに違法性の意識が認められる以上，但書の適用はない。それに対して，故意の成立に違法性の意識を要するとする厳格故意説によれば，違法性の錯誤は故意を阻却するから，38条3項は，個々の法規を知らなくても故意の成立には影響がないと解され，同但書は，違法性の意識があっても，法規を知らないために違法性の程度についての認識が困難になる場合に適用されることとなる。さらに，故意の成立には違法性の意識の可能性があれば足りるとする制限故意説によれば，38条3項は，法規の規定を知らなくても故意は阻却されないと解され，同但書は，違法性の意識の可能性があっても違法性を意識することが困難であるためにその意識を欠いた場合には，違法性の意識がある場合よりも非難可能性が少なく責任が軽いからその刑が軽減される旨を明示したものであるとされる。他方，責任説によれば，38条3項は，「**あてはめの錯誤**」が故意の成否に影響を与えない旨を，また，同但書は，「あてはめの錯誤」によって違法性の意識を欠いた場合には，違法性の意識のある場合よりも非難可能性が少なく責任が軽いからその刑が軽減される旨を明らかにしたものであると解される。

そこで，違法性の意識はあるが，爆発物取締罰則がこのような重罪であることを知らなかったAらに但書が適用されうるとすれば，それはわずかに厳格故意説による場合にすぎないが，違法性の意識があるにもかかわらず刑が軽減される理由は明らかではない。他方，違法性の意識不要説，制限故意説，責任説のいずれによっても，Aらには，法定刑の重さを知らなくても違法性の意識があるから但書は適用されない。違法性の意識の内容に，行為が可罰的であることの認識までも要求するのであればともかく（このように考えることの是非は別として），法定刑についての錯誤に但書を適用することは妥当ではなかろう。

[参考文献]
刑法判例百選Ⅰ総論［第4版］102頁［齊藤誠二］

第4章 責　任

Ⅳ　過　　　失

No. 53　過失犯処罰と明文の要否

〈CASE〉　Aは古物商を営んでいるが，店を改装するのにいろいろと忙しかったために，買い受けた品物を帳簿に記載するのを失念してしまった。Aの罪責はどうなるか。

1　問題のありか

　古物営業法は，17条で，「古物市場主は，その古物市場において売買され，又は交換される古物につき，取引の都度，前条第１号から第３号までに規定する事項並びに取引の当事者の住所及び氏名を帳簿等に記載をし，又は電磁的方法により記録をしておかなければならない。」とし，同条に違反した場合には，33条２号で処罰される。しかし，過失犯については，同法は，盗品の品触れの届けを警察に対して行わなかった場合のみ処罰している（37条）。

　刑法は故意犯処罰が原則であり，過失犯を処罰するには**「特別の規定」**をおく必要がある（38条但書）。にもかかわらず，ここで問題となるのは，その「特別の規定」の意味である。行政取締法規の場合，明文で過失犯を処罰する規定がない場合でも立法趣旨等からそれ自体を「特別の規定」と認めることで，過失犯処罰を肯定するという考え方がある。一方で，「特別の規定」を罪刑法定主義との関係で明文に限ると考えることも可能である。行政法規であることの意味をどのように理解するかが問題となる。

2　論点の検討

　明文のない過失犯処罰について，学説には①行政法規であることを理由に明文がなくても広範な過失犯処罰を認める見解，②具体的な当該刑罰法規を検討して，故意犯処罰とともに過失犯処罰を包含すると容易に了解できる場合に過失犯処罰を認める見解，③明文の規定を必要とし，明文なき過失犯処罰を否定する見解，がある。

見解①は，かつて判例がとってきた立場であるが，これは，行政の取締目的が罪刑法定主義における法律主義より優越しているということを意味し適切ではない。見解②の場合は，現在の判例がとっている立場で，直接的には故意犯処罰のみを明示していても，過失犯処罰の趣旨が明らかに予見できる場合は，38条1項の「特別な規定」にあたると解し，過失犯処罰を認める。しかし，この説も，過失犯の処罰規定をおくことは立法技術的にも極めて容易であること，国民の予測可能性をより確保する必要性といった観点から批判されている。38条1項の趣旨および罪刑法定主義の精神からして，見解③が妥当である。

　したがって，**CASE**の場合には，過失犯は処罰されない。

3　関連判例

　過失犯処罰規定のない行政刑法の処罰に関しては，大審院では，行政取締り目的の達成のために，明文のない過失犯処罰を認めたもの（大判大3・12・24刑録20輯2615頁）や，否定するもの（大判大7・5・17刑録24輯593頁）があったが，最高裁は一貫して過失犯処罰を認めている。

　外国人登録証明書の不携帯に関しても（最決昭28・3・5刑集7巻3号506頁），本事案のような古物営業法に関しても，「同法17条の規定に違反した者」とは，「その取締ることの本質にかんがみ，故意に帳簿に所定の事項を記載しなかったものばかりではなく，過失によりこれを記載しなかったものをも包含する法意」であるとし，過失処罰を認めている（最判昭37・5・4刑集16巻5号510頁。なお，問題となったのは当時の条文29条である）。

　油送船の機関士として燃料油補給等の業務に従事していた者が，過失により補給中の燃料油を海面に流失させた事件につき，「船舶の油による海水の汚濁の防止に関する法律」により処罰された事件について，最高裁判所は，同法36条，5条1項は「過失犯をも処罰する趣旨である」として，理由を明示することなく，過失犯処罰を認めている（最判昭57・4・2刑集36巻4号503頁）。

〔参考文献〕
　刑法判例百選Ⅰ総論［第4版］106頁［松原芳博］
　判例講義刑法Ⅰ総論45頁［川本哲郎］

第4章 責　　任

No. 54　予見可能性の意義——北大電気メス事件

〈CASE〉　看護師であるAは，執刀医Bの指示により，手術で使用する電気メスの準備をしていたところ，メス側ケーブルと対極版側ケーブルの各プラグを交互に誤接続したため，患児に装着された対極版の接触部分に熱傷を生じ，右下腿部切断の手術をせざるを得なくなった。A，Bの罪責はどうなるか。

1　問題のありか

過失犯が成立するためには，結果の予見義務・可能性が必要である。結果の**予見可能性**があるとするためには，何をどの程度まで予見することが必要なのかが問題となる。CASEにおいては，業務上過失致傷罪が成立する場合，看護師Aがメス側ケーブルと対極版側ケーブルを誤接続したことによって生じる結果のどの範囲まで予見していることが必要なのかが検討されなければならない。

CASEにおいては，ケーブルの誤接続自体は基本的な過失ということができるが，本件のような形での電気メスの危険性はまったく認識されていなかった。

医師Bについては，医師は手術において看護師を指導・監督する責任があることを前提として，**チーム医療**においてどのような責任が問われるのかが問題となる。

2　判決要旨——札幌高判昭51・3・18高刑集29巻1号78頁

＊　Aについては，「およそ，過失犯が成立するためには，その要件である注意義務違反の前提として結果の発生が予見可能であることを要し，結果の発生が予見できないときは注意義務違反を認める余地がない。ところで，内容の特定しない一般的・抽象的な危惧感ないし不安感を抱く程度で直ちに結果を予見し回避するための注意義務を課するのであれば，過失犯成立の範囲が無限定に流れるおそれがあり，責任主義の見地から相当であるとはいえない。右にいう結果発生の予見とは，内容の特定しない一般的・抽象的な危惧感ないし不安感を抱く程度では足りず，特定の構成要件的結果及びその結果の発

生に至る因果関係の基本的部分の予見を意味するものと解すべきである。そして，この予見可能性の有無は，当該行為者の置かれた具体的状況に，これと同様の地位・状況に置かれた通常人をあてはめてみて判断すべきものである」ことを前提として，「発生するかもしれない傷害の種類，態様及びケーブルの誤接続が電気手術器本体から患者の身体に流入する電流の状態に異常を生じさせる理化学的原因については予見可能の範囲外であつた」が，「過失犯成立のため必要とされる結果発生に対する予見内容の特定の程度としては」そこまでも要求するものではないとして，過失犯を認定している。

＊　Bについては，誤接続に関する結果発生の予見可能性がなかったこと，手術開始前にAを信頼して接続の正否を点検しなかったことは，当時の状況においては無理からぬものであり，「ケーブルの誤接続による傷害事故発生を予見にこれを回避すべくケーブル接続の点検する措置をとらなかった」からといって，「執刀医として通常用いるべき注意義務の違反があった」といえないとし，チーム医療における信頼の原則の適用が考慮され，無罪となった。

3　論点の検討

伝統的に，過失は故意と並ぶ要素として，責任要素として位置づけられてきた（**伝統的過失論**）。これに対して，故意・過失を違法要素と位置づけ，故意行為と過失行為が構造的に異なると理解する考え方が台頭してきた（**新過失論**）。その場合，予見可能性に基づく結果回避義務を客観的にとらえることで，結果の予見可能性があっても客観的注意義務を果たしている限りは過失犯が成立しないとする。さらに，予見可能性について抽象的結果の認識で足りるとする**危惧感説**も主張されるようになった。

医療事故のように未知の危険が存在する場合であっても，危惧感のような抽象的な予見可能性ではなく，構成要件的結果等の基本的な部分について具体的な予見可能性が必要であると解するのが相当である。**CASE**の場合，ケーブルの誤接続は因果関係の基本的部分と評価できるため，Aについては，業務上過失傷害罪が成立する。また，Bについては，**信頼の原則**がチーム医療にも適用されるため，無罪となる。なお，信頼の原則は交通事故の場合にこそ妥当する議論であるため，チーム医療の場合には限定的に考えるべきであるという主張もあるが，それは適切ではない。

第4章 責　　任

| *No.* 55 | 予見可能性の対象 |

〈CASE〉　Aは軽四輪車で制限時速を35キロも越える猛スピードで走行中，反対車線の対向車に驚き，あわてて左にハンドルを切ったが，今度はガードレールに衝突しそうになったため，右にハンドルを切った。そのため自動車のコントロールが利かない状態となり，左側の信号柱に激突した。その際に，荷台に乗っていたBとCが道路に転落して，頭を打って死亡した。しかし，Aは荷台にB，Cが乗車していることには気がつかなかった。Aの罪責はどうなるか。

1　問題のありか

CASEでは，Aが荷台にB，Cが乗車していることに気づかなかったことが，Aの業務上過失致死罪（211条1項）の成立にどのように影響するのかが問題となる。

過失犯の成立には，結果の**予見可能性**が必要であるということに争いはない。問題は，どの程度のまで具体的に結果を予見しなければならないかにある。CASEでは，Aが，B，Cの死亡という具体的な死の危険まで予見する義務があるのか，それとも「人の死傷」まで認識していれば予見可能性があったといえるのかが問題となる。

CASEに関して，第一審，第二審ともAのBに対する業務上過失致死罪の成立を肯定した。第二審は次のように言う。種々の「注意義務を怠って自動車を運転走行させて自車を制御することができなくなり，これを暴走させて」衝突事故を起こしたような場合には，自車の同乗者や歩行者，他の車両の運転者やその同乗者などに対して，死傷の結果を惹起させる危険があることを自動車運転者は当然認識すべきであるから，B，Cの荷台への同乗を認識していなくても業務上過失致死罪の成立は妨げない。

2　判決要旨――最決平1・3・14刑集43巻3号262頁

最高裁は，Aが同乗の事実を認識していなくとも，「人の死傷」は認識でき

116

たがゆえに，業務上過失致死罪が成立するとした。
* 「右のような無謀ともいうべき自動車運転をすれば人の死傷を伴ういかなる事故を惹起するかもしれないことは，当然認識しえたものというべきであるから，たとえ被告人が自社の後部荷台に」B，C「が乗車している事実を認識していなかったとしても」，B，C「に関する業務上過失致死罪の成立を妨げないと解すべきであ」る。

3 論点の検討

過失犯をめぐっては，**旧過失論（伝統的過失論）**，**新過失論**，**危惧感説**が対立している。結果の予見可能性の程度について，危惧感説では，構成要件的に特定された具体的な結果についてまで予見する必要はなく，「人の生命・身体についての何らかの危害」という抽象的な予見可能性で足りるとしている。危惧感説は，そもそも公害・薬害事犯等において主張されており，交通事故においては，刑事過失の成立範囲を不当に拡大する。したがって，旧過失論・新過失論をとる限り，構成要件的に特定された具体的な結果についての予見可能性が必要（**具体的予見可能性**）となる。

その場合，どの程度までの特定が必要なのかが問題となる。「およそ人の死傷」を認識すれば足りるのか，「B，Cの死」までの具体的な認識までが必要なのかが問題となる。CASE では，行為者であるAは，B，Cの同乗を認識していなかったため，もし「B，Cの死」という程度まで具体的な予見可能性が必要だとするならば，予見可能性は否定される。

しかし，たとえば，対向車と衝突した場合，対向車の同乗者についてAが認識していない場合でも，自動車には同乗者が存在することが通例である以上，同乗者の死についても予見可能性が存在すると考えることができる。このように，「およそ人の死傷」という抽象化した予見可能性で足りるとした場合には，予見可能性は肯定される。

CASE の場合は，後部荷台への無断乗車が「通常あるべき形態」であるということを前提とすると，その死がAにとっては意外なものであっても，予測可能性は存在することとなり，それに基づいて**結果回避義務**が生じるため，業務上過失致死罪の成立は免れない。

〔参考文献〕
刑法判例百選Ⅰ総論［第4版］110頁［伊東研祐］
判例講義刑法1総論53頁［川本哲郎］

第4章 責　　任

No. 56　予見可能性の有無——近鉄生駒トンネル火災事件

〈CASE〉　電力ケーブルの敷設工事を請け負う会社の代表取締役であるAは，従業員2名を使用して，電車のトンネル内に電力ケーブルを敷設した。その際に，アース端子（接地銅板）を通して，ケーブル接続の構造（Y分岐接続器）上必要な電気の道通路を確保しなかった。そのため，使用から約5ケ月間の間にY分岐接続器内部の半導電層部に漏電した電流が，内部を徐々に加熱・炭化させ，ついには，炎上するに至った。これが電力ケーブルの外装部に燃え移ることで，トンネル内に煙と有毒ガスを蔓延させ，折しも通りかかった列車の乗務員1名を死亡させ，乗客42名に傷害を与えた。ただし，本件火災の原因となった「炭化導電路の形成」という現象は当時学術的な報告例のない未知の現象であった。Aはどのような罪責に問われるか。

1　問題のありか

　日常生活におけるのとは異なり，CASEのような作業においては，複雑で，未知の因果経過をたどって結果が発生することが多い。その因果経過が細部にまで認識されていない場合にも予見可能性ありとして，過失犯の成立を認めることができるのかが問題となる。

　CASEでは，火災の原因が「炭化導電路の形成」という**未知の現象**によるものであるという事情をどのように評価すべきか問題となる。

　CASEの場合，予見可能性があるとされれば，Aは業務上失火罪（117条の2）および業務上過失致死傷罪（211条1項）が成立する。

　本件の第一審では，接地系統の不備によるケーブルの発熱・発火は予見し得ても，炭化導電路の形成によるY分岐接続器本体の発熱・発火という未知の事実が予見可能ではなく，その未知の事実が一連の因果経路の基本的部分を構成するために，過失犯が成立せず，無罪とされた。

　それに対して，第二審では，因果の経路の基本部は，「そのこととそのことにより同部が発熱し発火に至るという最終的な結果とに尽きるのであって，こ

れらのことを大筋において予見，認識できたと判断される以上，予見可能性があったとするに必要にして十分であ」るとし，因果経路の基本的部分が大筋において認識されていれば，細部までの認識は必要ではないと判示した。

2　判決要旨——最決平12・12・20刑集54巻9号1095頁

最高裁は原判決を支持し，上告を棄却して過失犯を認定した。

＊「原判決の認定するところによれば，近畿日本鉄道東大阪線生駒トンネル内における電力ケーブルの接続工事に際し，施工資格を有してその工事に当たったXが，ケーブルに特別高圧電流が流れる場合に発生する誘起電流を接地するための大小2種類の接地銅板のうちの1種類をY分岐接続器に取り付けるのを怠ったため，右誘起電流が，大地に流されずに，本来流れるべきでないY分岐接続器本体の半導電層部に流れて炭化導電路を形成し，長期間にわたり同部分に集中して流れ続けたことにより，本件火災が発生したものである。右事実関係の下においては，Xは，右のような炭化導電路が形成されるという経過を具体的に予見することはできなかったとしても，右誘起電流が大地に流されずに本来流れるべきでない部分に長期間にわたり流れ続けることによって火災の発生に至る可能性があることを予見することはできたものというべきである。したがって，本件火災発生の予見可能性を認めた原判決は，相当である」。

3　論点の検討

過失犯の成立に必要な予見可能性について，**危惧感説**はその成立範囲が広くなることを理由として支持されていない。危惧感説に対して**具体的予見可能性説**は「因果関係の基本的部分」についての予見可能性を必要とする。問題はその程度である。特に原因が未知の事象の場合，どの程度まで具体的に予見することが必要かが問題となる。

CASEに関して，最高裁は，アース端子を敷設しなかったため，大量の電流が予定外の部分に流れ続けたことが発火の原因となったことを「因果関係の基本的部分」だと理解している。この程度の抽象化を肯定するか，第一審の程度までの具体的予見可能性が必要かが問題となるが，CASEの場合は，この程度の抽象化は認めうるため，Aについては，業務上失火罪および業務上過失致死罪が成立する。

〔参考文献〕
平成12年度重要判例解説143頁〔北川佳世子〕
前田雅英『最新重要判例250刑法〔第4版〕』71頁

第4章 責　　任

No. 57　信頼の原則

> 〈CASE〉　Aは，夕方のまだ灯火の必要ない時間に10メートルの見通しのよい道路で第１種原動機付自転車を運転していたところ，２メートルの小路に右折するために，右折の合図をしながら，時速約20kmで右折しはじめた。ところが，その際右後方を瞥見しただけで，安全を十分確認しなかったため，Aを70kmの高速で追い抜こうとしたB運転の自動二輪車の存在に気づかず，Bを接触・転倒させて，頭部外傷等により死亡させた。Aの罪責はどうなるか。

1　問題のありか

　CASEにおけるBの死亡という結果の発生は，Aの義務違反によってのみ生じたものではなく，Bの無謀な追い越しと相まって生じたものである。このように，Aは，自らが安全を確認する義務を怠るという交通違反を行っているが，このように行為者に違反行為があった場合に，その違反行為を犯罪成立との関係でどのように考えればよいのかが問題となる。つまり，自らが違反行為を行った場合にも**信頼の原則**が適用されるのかが問題となる。

2　判決要旨──最判昭42・10・13刑集21巻8号1097頁

　Aは，第一審では相手方の過失について言及せず業務上過失致死罪とされたが，第二審では，被告人には過失が認められるが，Bの方に重大な過失があるとし，刑を軽減した。最高裁判所は交通事故においても信頼の原則が適用されるとして，破棄・自判して，無罪を言い渡した。

＊　「Aのように，センターラインの若干左側から，右折の合図をしながら，右折を始めようとする原動機付自転車の運転者としては，後方からくる他の車両の運転者が，交通法規を守り，速度をおとして自車の右折を待つて進行する等，安全な速度と方法で進行するであろうことを信頼して運転すれば足り，本件Bのようにあえて交通法規に違反して，高速度で，センターラインの右側にはみ出してまで自車を追越そうとする車両のありうることまでも予

想して，右後方に対する安全を確認し，もって事故の発生を未然に防止すべき業務上の注意義務はないものと解するのが相当である」。

3 論点の整理

　信頼の原則は，ドイツの判例によって形成された理論である。ある行為を行う者複数の者が関与する事務を行う場合，その事務の関与者は，他の関与者が規則を守るなどして適切な行動をとることを信頼するのが相当の場合には，たとえ他の関与者が規則違反等を行って，それとあいまって構成要件的結果が発生した場合に，その結果につき過失責任を問わないというものである。

　信頼の原則は，基本的には新過失論において，**結果回避義務**との関係で発達してきた理論であるが，その法的性質については，新過失論者の中でも対立があり，予見可能性の問題として理解する説と，結果回避義務に関する原則であるとする説が大別して存在している。一方で，旧過失論の場合でも，信頼の原則を責任要素として主観的予見可能性がない場合としてとらえており，結論的な差は存在しない。

　CASEのように行為者に違反行為があった場合について，学説には相手の行動を信頼するための条件がそろっていないなどの理由から，信頼の原則を否定するものも多い。もちろん，自動車運転者のように人の生命・身体に危険を及ぼすおそれのある業務に従事するものは，危険防止のための可能な限りの適切妥当な措置をとるべき注意義務があることはいうまでもない。しかし，自らが違反行為を行ったからといって，相手が違反行為を行うことが当然に予測されるとまではいえないため，行為者に違反行為があっても信頼の原則の適用があると考えるべきである。したがって，Aは無罪となる。

　なお，信頼の原則が初めて適用されたのは，駅のプラットホームから転落して死亡した事例においてであるが，その後交通事故に対しても適用されるようになった。なお，信頼の原則は「特別な事情」のないかぎり，適用される（最判昭41・6・14刑集20巻5号449頁）ため，相手が子ども，老人，酩酊者である場合には，適切な行動をとることがそもそも期待できないために，信頼の原則は適用されない。

〔参考文献〕
　刑法判例百選Ⅰ総論［第4版］112頁［神山敏雄］
　判例講義刑法Ⅰ総論52頁［川本哲郎］
　交通事故判例百選Ⅰ228頁［今井吉之］

第4章 責任

| *No. 58* | 注意義務の存否 |

〈CASE〉 Aは，駅まで妻Bを送るために，普通乗用車に同乗させて運転していた。駅の手前の交差点で，信号待ちのために止まっていた車の後ろに追随して停車し，後部座席に同乗していたBをその場所で降車させようとした。同所付近は，交通頻繁な場所で，Aの車と左側歩道との間には約1.7mの余地があったにもかかわらず，単にフェンダーミラーを一瞥しただけで，Bに降車の指示をした。その指示に従って妻Bがドアを開けたところ，後ろから走ってきたC運転の原動機付自転車にドアがぶつかり，Cは加療約13日の傷害を負った。Aの罪責はどうなるか。

1 問題のありか

　CASEでは，自動車運転者であるAが，信号待ちのために停車中に，同乗者が後部座席左側ドアから降車する場合，どのような**注意義務**が存在するのかが問題となる。もし，Aに注意義務違反が認められる場合は，業務上過失致傷罪（211条1項）が成立する。自動車運転者は走行中のみならず，駐車中も**安全配慮義務**を一般的に有している。道路交通法も，47条1項で人の降車の際には，「できる限り道路の左側端に沿り，かつ，他の交通の妨害とならないように」する安全配慮義務を，71条4号の3では，同乗者がドアを開く際には「交通の危険」を招かないための措置を講じる義務を規定している。道路交通法違反がそのまま過失の認定に直結するものではないが，過失の認定に際しては当然に考慮される。

　CASEでは，実際に結果を発生させたのは妻Bであるため，Bの行為をどのようなものと評価するのかが問題となる。成人であるBに対しても，同乗者であることが評価され，運転者の監督に服するという関係だと考えることも同乗者であることに独自の責任を認め，過失の競合だと考えることもできる。また，実行行為者であるBのみに注意義務違反を認めることもできる。

2　判決要旨──最決平5・10・12刑集47巻8号48頁

Aの安全確認義務違反を根拠に過失を認定した原審を肯定した。
* 「右のような状況の下で停車した場合，自動車運転者は，同乗者が降車するに当たり，フェンダーミラー等を通じて左後方の安全を確認した上で，開扉を指示するなど適切な措置を採るべき注意義務を負うというべきであるところ，被告人は，これを怠り，進行してくる被害者運転車両を看過し，そのため同乗者である妻に対して適切な指示を行わなかったものと認められる。この点に関して被告人は，公判廷において，妻に対して『ドアをばんと開けるな。』と言った旨供述するが，右の言辞が妻に左後方の安全を確認した上でドアを開けることを指示したものであるとしても，前記注意義務は，被告人の自動車運転者としての立場に基づき発生するものと解されるから，同乗者にその履行を代行させることは許されないというべきであって，右のように告げただけでは，自己の注意義務を尽くしたものとはいえない。これと同旨の見解に立って，被告人の過失を肯認した原判断は，正当である」。

3　論点の検討

自動車運転者の同乗者に対する注意義務については，①自動車運転者と同乗者の間に監督者―被監督者の関係を認めうる立場，②同乗者との過失の競合を問題として，場合によっては過失の共同正犯を認める立場，③自動車運転者には過失責任を問えないとする立場などがある。本決定は，このどの立場に立ったものではなく，自動車運転者には同乗者の乗降に対する注意義務を認めたものである。

これまでの下級審の判例では，停車中に自動車運転者自身がドアを開けたところに衝突した事例が多く，そのほとんどが被害者の前方不注視に事故原因を求めている（後掲判例百選参照）。その意味では，本決定は，自動車運転者の注意義務をかなり厳しく認めたものといえる。

同乗者が判断能力のある成人である場合には，自動車同乗者にも安全確認をする義務は当然ある。「同乗者にその履行を代行させ」たというよりも，それぞれの義務違反が競合したと考えることができる。したがって，AにもBにも業務上過失致傷罪が成立する。

〔参考文献〕
　刑法判例百選Ⅰ総論［第4版］114頁［甲斐克則］，判例講義刑法Ⅰ総論47頁［川本哲郎］

第4章 責　　任

No. 59　監督過失――大洋デパート事件

〈CASE〉　Aが取締役人事部長を務め，Bが売場課長ならびに火元責任者を務め，営繕課員Cが防火管理者とされていたTデパートにおいて，原因不明の火災が発生し，170名が死傷した。Tデパートはオーナー社長たる代表取締役Dが経営管理権限の一切を把握していたが，当時，消防当局からの再三の指摘にもかかわらず，消防計画の作成，従業員に対する消火避難訓練などもされておらず，非常設備も不備であった。Aは，取締役会の構成員として，取締役会の決議を促して消防計画の作成等を図ることもせず，Dにそうした意見具申をすることもなかった。また，B，Cは，火災現場では，できる限りの消火努力をしたが，Bは，それ以前には受け持ち区域における消火訓練を実施してはいなかったし，Cも，Dから具体的権限を与えられていなかったとはいえ，消防計画の作成や，それにもとづく訓練を実施してはいなかった。A，B，Cそれぞれの罪責はどうなるのか。

1　問題のありか

CASEでは，業務上過失致死傷罪の成立が問題となる。ただし，火災の原因自体は不明であるから，その発生自体についての三者の（故意はもちろん）過失を問題とすることはできない。また，Aは火災現場にはおらず，BもCも現場においてできる限りの消火，延焼防止努力を尽くしたというのであるから，火災に対処する現場での過失が問題となるのでもない。問題となるのは，火災に対処するための訓練等をしなかったことに対する管理・監督責任者等としての過失である。そこで，三者がそうした訓練等をしなかったことについて，**監督過失**が問われるのかが問題となる。

2　判決要旨――最判平3・11・14刑集45巻8号221頁

消防法8条1項に見られる防火管理上の注意義務を負うのは，「会社の業務執行権限を有する代表取締役であり，取締役会ではない」。それゆえ，「取締役が代表取締役の右業務の執行につき取締役会において問題点を指摘し，必要な

措置を採るべく決議を促さなかったとしても、そのことから直ちに右取締役が防火管理上の注意義務を怠ったものということはできない」のであり、Aに監督過失は認められない。Bも、単に売場課長、火元責任者ということだけから当然に消火訓練等を実施する職責を負うものではなく、Cも防火管理者として届けられてはいたが、「防火管理上必要な業務を適切に遂行することができる権限を有する地位」にあったとはいえず、いずれも監督過失は認められない。

3　論点の検討

　大規模火災事件をきっかけに監督過失を過失形態として認めることが判例上確立してきている。しかし、疑問がないわけではない。まず、そもそも消防訓練の欠如等が、業務上過失致傷罪の法益を侵害する危険性ある行為として、本罪の実行行為に該当するといえるか疑問であるとされる（大塚仁編『大コンメンタール刑法』2巻732頁〔神山敏雄〕）。そして、確かに消防法上の事前管理義務違反が認められるとしても、それが直ちに具体的な致死傷の結果予見可能性に繋がり、業務上過失致死傷罪の過失があるといえることになるのか（松宮孝明『刑法総論講義〔第2版〕』205頁）。こういった疑問が残ることは確かである。ただ、消防法等の行政法規違反にあっても刑法上の過失を認めることはできるし、大規模火災の経験からして予見可能性も認められうると解するなら、これは、どのような状況にあったときに監督過失が認められるかについての問題だということになる。そう理解するなら、判例は、実質的観点から監督過失の注意義務をとらえたものとして肯定的に評価されることにもなろう。すなわち、取締役・売場課長、火元責任者、防火管理者という立場にあったとしても、管理権限者、防火管理者としての実質的地位、権限を有していなければ、監督過失は認められないということである。

　いずれにしろ監督過失も過失の一形態であるから、過失の要件を充たすべきものであり、結果予見可能性と予見義務、結果回避可能性と回避義務が認められなければならない。**CASE** では、三者に具体的権限が認められないのであるから、結果回避可能性にもとづく結果回避義務は肯定できず、A，B，Cは無罪とされるべきことになろう。

〔**参考文献**〕
　刑法判例百選Ｉ総論〔第4版〕120頁〔板倉　宏〕

第4章 責　任

No.60　業務上過失致死傷罪における業務の意義

〈CASE〉　ウレタンフォームの加工販売業を営む会社の工場部門の責任者として，易燃物であるウレタンフォームの取扱保管およびこれに伴う火災防止等の業務に従事していたAは，B鉄工に依頼して工場の簡易リフトの補修を行う際に，B鉄工が行う火花の飛散する溶断作業に立ち会いこれを監督していた。Aは，近傍に易燃性ウレタンフォームのあることを知りながら何らの措置も講ぜず，そのまま放置しておいたところ，溶断作業による火花が落下飛散し，前記ウレタンフォームに接触着火し，急速に燃え上がり，同会社の建物が全焼した上，一酸化炭素中毒による7名の死者を出すに至ってしまった。Aの罪責はどうなるのか。

1　問題のありか

CASEにおいては，火災防止の業務にあたっていた業務者Aが，過失により火災を発生させ，それによって死亡者を出してしまったということから，業務上失火罪（117条の2前段）および業務上過失致死罪（211条1項前段）の成立が問題となる。いずれも業務上の過失を問題とする犯罪類型であるが，両者の業務の意味が同じであるかどうかが問題となる。

2　決定要旨——最決昭60・10・21日刑集39巻6号362頁

＊　「刑法117条の2前段にいう『業務』とは，職務として火気の安全に配慮すべき社会生活上の地位をいうと解するのが相当であり」，一方，刑法211条（1項）前段の「『業務』には，人の生命・身体の危険を防止することを義務内容とする業務も含まれると解すべきである」から，本件のような場合には「業務上失火罪及び業務上過失致死罪に該当するものと解するのが相当である」。

3　論点の検討

業務上過失における「**業務**」とは，本来，「各人が社会生活上の地位に基づき継続して行う事務」（最判昭26・6・7刑集5巻7号1236頁等）をいうと解され

ており，そうした一般的な定義の上に，各犯罪類型規定の特殊性を考慮して，それぞれに独自の補正が施されることになる。

業務上失火罪においては，すべての者が日常的に火を扱うということを考えると，上記の一般的な定義では，すべての者が業務上失火罪の主体となりうることになり，逆に，失火罪（116条）の主体が考えられなくなる。そこで，「職務上の地位」と関連づけて本罪の「業務」がとらえられることになるが，(イ)単に直接的に火気を取り扱う職務に限定すると，かえって範囲が狭きに失するということから，さらに，(ロ)火気発生の蓋然性の高い物質を取り扱う職務，(ハ)火災の発見・防止を任務とする職務も，これにあたると解されている。

一方，業務上過失致死傷罪における業務は，「職務上の地位」との関連性は否定され，①社会生活上の地位にもとづくこと，②反復継続性のあること，③生命身体への危険性を含む行為であること，という三要件を充たせば，本罪の業務にあたると解されている（最判昭33・4・18刑集12巻6号1090頁）。このうちCASEにおいて問題となるのは③の要件で，行為自体には生命身体への危険性が含まれていなくとも，それを防止するための行為がここにいう「業務」にあたるのか，という点である。CASEでは，生命身体への危険性を含む溶断作業を行っていたのはBであって，Aは，その危険を防止するための（監督）行為をしていたにすぎないからである。判例は，これも業務にあたるとしたものである。危険を含む行為は容易に法益侵害を起こしやすく，そうした行為の従事者にはより注意深い行為が求められるということから，本罪の重罰化が根拠付けられるとするなら，危険防止行為に従事する者にも同様の理由からより注意深い行為が求められることになろう。したがって，本罪の業務には，危険を含む行為のみならず，危険を防止する行為も含まれると解すべきであろう。

以上のことに照らせば，Aは，火災防止を任務とする職務に就いており，それにもかかわらず火を失してしまったのであるから，業務上失火罪が成立するし，B鉄工の溶断作業の危険を防止すべき立場にあったにもかかわらず，その防止行為に際して不注意があったのであるから，業務上過失致死罪が成立することになる。

[参考文献]
刑法判例百選I総論［第4版］122頁［松原久利］

第4章 責任

V 期待可能性

No. 61　構成要件解釈と期待可能性

〈CASE〉　Aは，電気機械製造業を営むB会社のC工場において工場長を務めていた。Aは当時の失業保険法により，同工場の被保険者の賃金から控除された失業保険料の納付義務者であるB会社の代理人として，保険料を納付すべき立場にあったが，終戦直後のインフレ等もあってB会社からの失業保険料の納付資金が送られてこないことから，3か月間当該保険料を納付しなかった。当時の失業保険法においては，法人又はその代理人が「被保険者の賃金から控除した保険料をその納付期日に納付しなかった場合」を処罰する旨の規定がおかれているが，この場合，Aの罪責はどうなるか。

1　問題のありか

本来の失業保険料の納付義務者であるB会社本社からの資金送達がないのにもかかわらず，C工場の工場長であるということだけから，A個人に未納付による失業保険法違反の罪責を問うのは酷に過ぎる。とすると，どのようにAの刑事免責を理論付けるかが問題となる。この場合には，Aには期待可能性がなく責任が阻却されるとするか，それとも，そもそも構成要件該当性が欠けているとするか。

2　判決要旨──最判昭33・7・10刑集12巻11号2471頁

検察側は，期待可能性の理論から無罪とする点で下級審判決は判例違反だとするが，「判文中期待可能性の文字を使用したとしても，いまだ期待可能性の理論を肯定又は否定する判断を示したものとは認められない」のであって，判例違反とは言えない。失業保険法の規定は「事業主において，右代理人等が納付期日に保険料を現実に納付しうる状態に置いたに拘わらず，これをその納付期日に納付しなかった場合をいうものと解するを相当と」するから，本件にお

いてはAは「犯罪構成要件を欠き無罪たるべきものであり」，行為者たるAが無罪である以上，B会社も無罪たるべきである。

3 論点の検討

期待可能性の理論は，適法行為を決意することがそもそも期待できないような異常な状況にある人間には，刑事責任が問えないという考え方であり，規範的責任論の発展と軌を一にするものである。**規範的責任論**は，責任を一定の心理状態にあるとする**心理的責任論**を排し，適法行為を求める法規範に反することへの非難可能性を責任ととらえるが，法規範は無理を強いることはできないから，適法行為の決意が期待可能な状況でなければ，適法行為を求めることはできず，責任を問えないということになる。

わが国の学説では，一般に期待可能性の理論は広く認められているが，明文の規定がないことから（肯定的だとも思われるが），判例の態度は明確ではない。ただ下級審判例には，労働争議中の組合員が，スト破りを阻止するために炭車の運行を妨害した行為について，明確に期待可能性がないとの理由で無罪としたものがある（福岡高判昭24・3・17刑集10巻12号1626頁—三友炭坑事件第二審判決）。**CASE** においては，Aに作為義務が認められないということから，責任の議論以前に構成要件該当性がないといえ（曽根=日高編『基本判例5刑法総論』85頁［日高義博］），その点から見ると前記判旨は評価されよう。しかし，検討されるべきは，むしろ，期待可能性の理論の具体化方法にある。

確かに明文規定がない以上，期待可能性の理論は一般規定的な理論としての色彩が濃く，なるべくその適用を控え，構成要件解釈に投影するなどして具体化をはかるべきかもしれない。しかし，正面から**超法規的責任阻却事由**として期待可能性を認めて，判例の集積によりその限界を浮き彫りにするという方法もあるのではなかろうか。期待可能性の理論が，被告人にとって有利な理論であり，被告人にとって有利な類推であれば許容すべきであるという姿勢をとるのであれば，そうした具体的方法も考慮されるべきであろう。そうした観点からすれば，Aには期待可能性が欠けており，無罪とすべきことになる。

[**参考文献**]

刑法判例百選Ⅰ［第4版］124頁［宮沢浩一］

第4章　責　　任

さまざまな猶予制度

捜査（警察） ｛ 釈　放 / 微罪処分 / 送　検 ➡ 捜査（検察） ｛ 不起訴処分 / 起訴猶予 / 起　訴 ➡ 公判（裁判） ｛ 無　罪 / 執行猶予付有罪 / 実　刑 ➡ 裁判の執行（行刑） ｛ 満　期 / 仮出獄

〰〰〰は猶予制度の一つであることを示す。

第 5 章

未　　遂

実行の着手
　構成要件に該当する事実が実現される可能性の高い行為の発端がなされることである。殺人罪ならピストルの発砲，窃盗罪なら，住居侵入後に，金目の物を捜す行為である。これより前が予備段階であり，実行の着手はなされたが構成要件の予定する結果に至っていない段階が未遂である。未遂のうち，行為者が結果発生を阻止すれば中止犯となる。結果が発生すれば既遂となる。

◆刑法用語ミニ辞典◆

第5章 未　　遂

I　実行の着手

No. 62　強姦の着手時期

〈CASE〉　Aは，ダンプカーで徘徊中，情交を結ぼうとB女に声をかけたが相手にされなかったので，強姦する意思をもって，抵抗するB女を無理矢理運転席に引きずり込み，その際全治約10日の傷を負わせ，そのまま車を発進して，同所より5キロメートル程離れた護岸工事現場に至り，そこにおいて運転席内でB女の反抗を抑圧して姦淫するに及んだ。Aの罪責はどうなるか。

1　問題のありか

強姦行為から傷害の結果が生じた場合には，強姦致傷罪（181条）が成立するが，同一の行為者が同一の被害者に傷害を加え，その後，別の機会に強姦したとしても，それは傷害罪（204条）と強姦罪（177条）の併合罪になるにすぎない。CASEの場合，運転席への引きずり込み行為において強姦行為の着手が認められるのであれば，その際の負傷については，強姦致傷罪によって評価されることになるが，その段階では未だ強姦行為の着手が認められないというのであれば，その負傷は傷害罪として別個に評価されることになる。そこで，強姦罪の実行の着手時期が問題となる。

2　決定要旨——最決昭45・7・28刑集24巻7号585頁

＊　「被告人が同女をダンプカーの運転席に引きずり込もうとした段階においてすでに強姦に至る客観的な危険性が明らかに認められるから，その時点において強姦行為の着手があったと解するのが相当」である。

3　論点の検討

そもそも**実行の着手時期**については，実行の着手が認められると未遂としての処罰が可能となることから，未遂犯の処罰根拠との関連で論じられることにもなる。未遂の処罰根拠を行為者の危険性に求める見解は犯意の飛躍的表動を

もって実行の着手とし（主観説），行為の危険性を未遂の処罰根拠とする見解は，構成要件上の行為こそ危険ある行為であるとして構成要件上の行為の開始時点をもって実行の着手ととらえる見解（形式的客観説）と，法益侵害の実質的危険がある行為の開始時点をもって実行の着手ととらえる見解（実質的客観説）に分かれる。主観説ではあまりに着手時期が早く認められすぎ，心情刑法（行為の故に処罰するのではなく，一定の心情を持ったが故に処罰するといった刑法理解）へとつながる虞があるということから，今日では後二説の対立が主要な論点となっている。

強姦罪の実行行為は，暴行または脅迫を手段として姦淫行為をすることであるから，形式的客観説では，手段としての暴行または脅迫が行われた段階で，実行の着手が認められることになるから，**CASE** においては，車への引きずり込み行為が姦淫としての手段といえるかどうか，つまり，引きずり込み行為の手段性が問題となる。

一方，実質的客観説では，法益侵害の危険性の有無をもって実行の着手の有無を判断することになるから，本件での引きずり込み行為が，強姦罪の**保護法益**たる性的自由に対する危険を有する行為といえるかどうかが問題となる。

より具体的状況に即した判断を可能とする点で，実質的客観説を採るべきだと考えるが，その場合，法益侵害の危険性を行為者の行為計画をも考慮に入れて事前的に判断するべきか，具体的危険結果の発生を事後的に判断するべきかが，さらに問題となろう。実行の着手時期が，行為規範に違反する行為の開始時点の問題であるなら，事前的に判断するべきであろうし，具体的な危険性は行為計画を考慮しなければ判断できないということからすれば，前者が妥当なように思われる。この方が具体的状況に即した判断を求めて実質的客観説を採用した趣旨に合致することにもなる。

こうした理解からすれば，当初から強姦の意思をもって車に引きずり込む行為は危険な行為といえ，その段階で強姦の実行の着手を認めてよいから，Aには強姦致傷罪が成立することになる。

〔**参考文献**〕
刑法判例百選Ⅰ総論［第4版］130頁［小田直樹］

第5章 未　　遂

No. 63　間接正犯の着手時期

〈CASE〉　Aは，Bを殺害しようと，毒薬を混入した砂糖を，歳暮贈答物として小包郵便にてB宛に郵送した。配達された当該小包を受領したBは，味付けのために煮物に入れたが，異常に気付き，これを食べることはなかった。Aの罪責はどうなるか。

1　問題のありか

　AはBを殺害しようとしたが，果たせないで終わっている。Aに殺人の実行の着手が認められるとするならば，殺人未遂罪（203条・199条）が成立することになるが，未だ実行の着手が認められないとするならば，せいぜい殺人予備罪（201条）の成立が考えられるだけということになる。CASEにおけるAの行為は，毒物が混入された砂糖を郵送したということだけだが，果たしてこれが殺人の実行行為であり，**実行の着手**といえるのか。仮にBが受領して飲食の用に供しうる状態となったときに，生命に対する危険が生ずるとして，この点で実行の着手を認めるとすると，行為者の行為とは離れたところで実行の着手を認めることになる。本来，実行の着手とは，実行行為を開始することを意味するはずであるのに（この基準をどこに見てとるかについては見解の対立がある。本書 *No. 62* 参照），このように解すると，そうした前提的理解が維持できなくなってしまう。はたしてどの時点で実行の着手といえるのか。

2　判決要旨──大判大7・11・16刑録24輯1352頁

＊　「他人が食用の結果，中毒死に至ることあるべきを予見しながら，毒物をその飲食しうべき状態に置きたる事実あるときは，これ毒殺行為に着手したものに他ならざるもの」であり，本件において毒物混入の砂糖がXに受領された時には，「同人またはその家族の食用しうべき状態の下に置かれたものにして，既に毒殺行為の着手ありたるものというべき」である。

3　論点の検討

　CASEでは，AはBを殺害しようと企てたが，その企図が実現するには，被

害者による小包受領と毒物混入砂糖の飲食といった，被害者自身の行為が必要であり，その意味で **CASE** は，被害者の行為を利用した**間接正犯**と考えることができる。こうした間接正犯における正犯者の行為は，郵送委託行為しかないから，行為者の行為に関連づけて実行の着手を理解しようとするのであれば，主観説はもちろん客観説においても，郵送委託行為の開始を以て実行の着手と解すべきことになる。しかし，これではあまりに実行の着手時期が早くなりすぎてしまうのも確かである。

そこで，実質的客観説において，具体的危険の発生時点をもって実行の着手時期と解し，被利用者による行為の開始をもって実行の着手ととらえようとする見解が主張されることにもなる。また，実行行為は行為者の行為であるが，実行の着手時期は実行行為の開始時と同じである必要はなく，行為者の行為から具体的危険が発生した段階で実行行為性が得られるのであって，その時点をもって実行の着手時期と解すべきだとする主張もなされている（平野龍一『刑法総論Ⅱ』319頁）。このように解するのであれば，法益に対する具体的危険が発生した段階で実行の着手が認められることになるから，確かに妥当な結論には至りうる。しかし，行為者の行為から離れて実行の着手を理解しようとすることには，やはり疑問が残る。

行為を処罰対象とするのであれば，やはり実行の着手時期を，行為者の行為に関連づけて，実質的客観説の立場から解するほかないように思われる。その上で，郵便物が配達されることの確実性と，贈答物として送られた物を飲食の用に供することの通常性から考えれば，郵送委託行為の段階で実質的危険が発生したと理解することができると思われる。したがって，**CASE** においては，Aの郵送委託行為の段階で殺人の実行の着手が認められ，Aには殺人未遂罪が成立することになる。もっとも **CASE** においてはBによる受領と飲食物への混入がなされていたから，いずれの見解にあっても実行の着手が認められることになろう。

〔**参考文献**〕
　刑法判例百選Ⅰ総論〔第4版〕132頁〔野村　稔〕

第5章 未　遂

II　中 止 犯

| No. 64 | 中止の任意性 |

〈CASE〉　Aは，殺意をもって，B子の頸部をナイフで突き刺し気管内に達する傷害を負わせたが，B子の口から大量の血があふれ出るのを見て驚愕し，「大変なことをした」と思い，直ちにタオルを傷口に当てて止血に努めるとともに消防署に電話をして救急車の派遣と警察への通報を依頼した。やがて到着した消防署員らの活動にAは積極的に協力し，その結果B子は一命をとりとめた。Aの罪責はどうか。

1　問題のありか

犯罪の実行に着手したが結果が発生しなかった場合は，未遂として刑の減軽を受けられることがある（43条本文）。これに対して，未遂に終わったのが「自己の意思により犯罪を中止した」ことによると認められれば，**中止未遂**として刑が必ず——少なくとも——減軽される（43条但書）。そこで，どのような場合に「自己の意思により中止した」といえるかが問題となる。

2　判決要旨——福岡高判昭61・3・6判時1193号152頁

＊　被告人が中止行為に出た契機が，被害者の口から大量の血が吐き出されるのを目のあたりにして驚愕したことにあることは前記認定のとおりであるが，「外部的事実の表象が中止行為の契機となっている場合であっても，犯人がその表象によって必ずしも中止行為に出るとは限らない場合に敢えて中止行為に出たときには，任意の意思によるものとみるべきである。」そして，「通常人であれば，本件の如き流血のさまを見ると，被告人の前記中止行為と同様の措置をとるとは限らないというべき」なので，「本件の中止行為は，流血という外部的事実の表象を契機としつつも，犯行に対する反省，悔悟の情などから，任意の意思に基づいてなされたと認めるのが相当である」。

3　論点の検討

外部的障害により犯罪の完成が物理的に妨げられた場合は、「自己の意思により中止した」といえないことは当然である。被害者を撲殺しようとして鉄パイプで殴りかかったところを警察官に取り押さえられて殺害に至らなかったときなどである（**障害未遂**）。それでは、絞殺しようとして被害者の首を絞めていたときに、パトカーの接近を知り、首を絞めるのを中止して逃げたため被害者が死を免れたような場合はどうか。「犯行を中止して逃走する」という自分の意思による行動はある。しかし、これは外部的事情により結果発生が阻止されたに過ぎず、やはり中止未遂とはいえない。警察官に発見・逮捕されるのをものともせずに殺害行為を続行する犯人は普通考えられないからである。

　つまり、「犯行を続けようと思えばできたのに、自ら中止を選択した」といえなければ中止犯ではない。そして、「続けようと思えばできた」といえるか否かは、そのような外部的事情が経験上犯罪を妨げるものといえるかどうかというように、客観化された基準により判断されることになる。

　被害者の出血を見て驚愕のあまり強姦を中止したという事案について、それは強姦の遂行の障害となるべき客観的事実である、として中止未遂の成立を否定した判例（最判昭24・7・9刑集3巻8号1174頁）があるが、被害者の出血などに驚愕して中止したときは、経験上犯罪遂行を妨げる事情により未遂に終わったものとするのが判例である。それに対し、**CASE**の判決は、外部的事実の表象が**中止行為**のきっかけとなった場合であっても、犯人がそれによって必ずしも中止行為に出るとは限らない場合に敢えて中止行為に出たときには、任意の意思によるものとみるべき場合のあることを認め、結局、流血という外部的事実の表象をきっかけとしつつも、犯行に対する反省、悔悟の情などから任意の意思にもとづいてなされたもの、と認めている。中止犯の成立に、広義の後悔を必要とすることは、法文を超える過度な要求をすることになり適当ではないが、**CASE**では、中止が、流血の状態を見たことによる恐怖・驚愕から受動的になされたのではなく、「大変なことをした」と受け止め、自分で主体的に中止行為を選択・遂行した――「反省、悔悟の情などから任意の意思に基づいて」とはそのことを意味していると理解すべきである――点に着目し、中止の任意性を認めたものと思われる。妥当な判断である。

　Aは殺人未遂罪に問われるが、中止犯としてその刑を減軽または免除されると解するべきである。

第5章 未　　遂

No. 65　中止行為

<CASE>　Aは，父親への恨みから放火してやろうと考え，父親宅の台所付近に枯れ枝などを積み上げ，マッチで点火した後その場を離れた。しかし，逃走する際，家屋裏手のB宅前にさしかかったとき，いきおいよく燃え上がる火勢を見て急に恐怖心に襲われ，Bに向かって，「放火したのでよろしく頼む」と叫びながら走り去った。これを聞いたBらが直ちに現場で消火活動をしたため，火は家屋に燃え移る前に消し止められた。Aの罪責はどうか。

1　問題のありか

中止犯が成立するためには，犯人が自ら独力で結果発生を防止する行為をする必要があるか。そして，**中止行為**は結果発生防止のための**真摯な努力**を示す行為でなければならない，とされるところ，その「真摯な努力を示す防止行為」とはいかなるものなのか。CASEのAのとった行動はそれにあたるといえるか。これが論点である。

2　判決要旨——大判昭12・6・25刑集16巻998頁

＊　「結果発生を防止するための行為は，必ずしも犯人が単独で行う必要があるわけでないことはもちろんであるが，犯人が自ら防止に当たらない場合には，少なくとも自らが防止に当たったのと同視できる程度の努力を払う必要がある。

　本件において，被告人Aは放火の実行に着手した後，逃走の際に火勢を見て遽（にわか）に恐怖心を生じ，Bに対して『放火したのでよろしく頼む』と叫びながら走り去ったというのであるから，被告人は放火の結果発生の防止につき，自らそれに当たったと同視できるだけの努力を尽くしたものとは認められないので，Bらの消火作業により放火の結果発生が防止されたとしても，被告人の行為をもって中止犯と認めることはできない」。

3　論点の検討

もとより，結果発生を防止するための行為は，犯人自らが独力でしなければならないわけではない。消防や救急車，医師を呼ぶことによって被害者の死や家屋の焼損の結果発生を防いだ場合，中止犯とならなくなるのは不合理だからである。そこで，他人の助力をあおいだ場合，どのような条件を充たしたとき中止犯を認めるべきかが問題となる。

　この点につき，判決は，「少なくとも自らが防止に当たったのと同視できる程度の努力」を払った場合でなければならない，としている。つまり，自ら防止に当たったのと同視できる程度といえるかを基準に，真摯な努力をしめす防止行為といえるか否かを判断することとなる。その後の判例においても，毒を与えた者が他人に医師を呼ぶよう依頼しただけというケースや，放火犯人が家屋所有者に火災を告げただけのケース，負傷させた被害者を病院に運んだが自分が犯人であることや凶器の種類などを告げなかったケースで，同様の判断基準にしたがって中止犯の成立が否定されている。

　このように，中止犯の成立に真摯な努力が要求されるのは，**中止犯の法的性格**を，基本的に責任減少説に立った見地から理解することに由来するものと考えられる。もっとも，「真摯な努力の要求」といった行為無価値的要素を不要とし，結果発生の**危険を消滅させる行為**がなされれば十分と考える結果無価値論的立場に立つとしても，CASEのように「よろしく頼む」と言い捨てて去っただけでは放火の結果発生の危険を消滅させたとは到底いえない。いずれにせよ，大審院の判断は妥当なものと思われる。

　Aの行為は，現住建造物等放火（108条）の未遂（112条）に該当し，同罪の障害未遂（43条本文）の罪責を負うものと解するべきである。

〔参考文献〕
　基本判例5刑法総論98頁以下［清水一成／城下裕二］
　西原春夫ほか編『判例刑法研究4』49頁以下［木村静子］
　刑法基本講座(4)34頁以下［板倉　宏］
　香川達夫『総合判例研究叢書・刑法(3)』63頁以下

第5章 未　　遂

No. 66　着手未遂と実行未遂

〈CASE〉　Aは，殺意をもってBの頭部めがけて牛刀を振り下ろし切りつけたが，Bがとっさに左腕でこれを受けて「命だけは助けて下さい」と哀願したため，憐憫の情を催して犯行を止めた。このときAは，牛刀でさらに攻撃して殺害目的を遂げることもできたが，そうせずにBに謝罪し，Bを病院に運び治療を受けさせた。Bは左腕に全治2週間の切創を負うにとどまった。Aの罪責はどうか。

1　問題のありか

　実行行為が終了する前に途中で終わってしまい，結果が発生しなかった場合を**着手未遂**，実行行為は終了したが，その後の事情で結果が発生しなかった場合を**実行未遂**と呼ぶ。未遂犯のこの分類は，**中止未遂**との関係で実益をもつ。すなわち，着手未遂の場合は，実行行為の途中で犯意を放棄しその後の行為を続けることを止めるだけで結果は発生しないが，実行未遂の場合は実行行為が終了してしまっているので，中止未遂となるためには発生を防止するための積極的な行為が必要となる。

　CASEでは，被害者の頭部めがけて包丁で一撃した行為を1個の完結した殺人の実行行為であると考えれば，実行未遂の事案ということになる（CASEに関する第一審判決はそう解したうえで障害未遂とした）。それに対して，最初の攻撃が奏功しなかったときは，殺害目的を遂げるまで何度も繰り返し攻撃する意図の下に行われたと考えれば，実行行為は未だ終了しておらず，着手未遂ということになる。すなわち，再度の攻撃に出ないという不作為を選択したことに任意性が認められれば中止犯が肯定されることになる。このCASEは着手未遂なのか実行未遂なのか，が問題となる。

2　判決要旨──東京高判昭62・7・16判時1247号140頁

＊　「最初の一撃で殺害の目的が達せられなかった場合には，その目的を完遂するため，更に二撃，三撃というふうに追撃に及ぶ意図が被告人にあったこ

とが明らかであるから」，被告人が牛刀で被害者に一撃を加えたが殺害を遂げなかったという段階では，「いまだ殺人の実行行為は終了しておらず，従って，本件はいわゆる着手未遂に該当する事案である」。

そして，本件が未遂に終わったのは，被害者が助命を哀願したことが契機となっているが，一般にそのような状況があっても，被告人のように「強固な確定的殺意を有する犯人が，その実行行為を中止するものとは必ずしもいえず，殺害行為を更に継続するのがむしろ通例である」から，任意性の要件を満たしており，中止未遂にあたるものと認められる。

3　論点の検討

すでに述べたように，着手未遂の場合と実行未遂の場合とで，要求される**中止行為**の内容が異なることになる。そこで，実行行為の終了時期の判断基準が問題となる。この点につき，既遂に達する性質の動作が終了したと評価できるか否かという客観面に重きをおく見解，行為者の主観を基準とする見解，また主観・客観の両面を総合する折衷的見解などが対立している。

CASEでは，被害者の頭部をめがけて牛刀を振り下ろす行為が行われているので，死の危険という客観的側面から判断すれば，実行行為は終了しているものといわざるをえない。これに対して，行為者の意図・計画に従って判断する主観説によれば，CASEは着手未遂に他ならず，裁判所もそれに依ったようにもみられる。この点について，第2の攻撃に出ることが可能であったという客観的状況と，そのことを行為者が認識しつつ思いとどまったという主観面とを総合的に判断したものと理解することもできる，という指摘も行われている。そうだとすると，着手未遂とした上で，中止未遂の成立を認めた裁判所の判断も妥当なものとみられなくはない。しかし，牛刀を頭部めがけて振り下ろし負傷させるという行為が行われ，客観的に死の結果発生の危険が生じている以上，殺人罪の実行行為が終了していないとみるのはやはり，無理ではないだろうか。

Aの行為は，殺人罪（199条）の未遂（203条）に該当し，障害未遂（43条本文）の罪責を負うものと解するべきである。[本書 *No. 64*参照]

〔参考文献〕

刑法判例百選Ⅰ総論［第4版］142頁以下［斉藤豊治］

基本判例5刑法総論99頁以下［清水一成／城下裕二］

判例講義刑法Ⅰ総論110頁以下［奥村正雄］

第5章 未　　遂

No. 67　実行行為の終了時期と中止犯の成否

〈CASE〉　Aは，自分の暴力に耐えかねて実家に帰っていた妻B子に復縁を迫ったが，これを断られ，激昂して殺意を生じ，いきなり両手でB子の頸部を意識が薄らぐほど力いっぱい絞め，さらに逃げ出したB子を連れ戻してから，今度は左手で体重をかけて力任せに絞め，しかもB子が気を失った後も約30秒間にわたって絞め続けた。その後，我に返ったAは，それ以上絞めるのをやめ，B子を放置した。これにより，B子は30分ないし1時間ほど意識を失い，頸部や顔面，眼球等に溢血・うっ血を生じ，5日間の入院治療を要する傷害を負った。Aの罪責はどうか。

1　問題のありか

着手未遂の場合は，実行行為の途中で犯意を放棄しその後の行為を続けることを止めるだけで結果は発生しないので，実行行為を止めたことに**任意性**が肯定されれば中止犯が認められる。これに対し，**実行未遂**の場合は，中止未遂となるためには，結果の発生を防止するための積極的な行為（真摯な努力）が必要となる。

CASEでは，絞殺しようとして殺人の実行に着手したAが，その実行を終了する前に，「我に返って」それ以上絞めるのを止めたことにより死の結果が発生しなかった，と考えれば着手未遂の事案となり，中止未遂成立の余地が出てくる（CASEの弁護人はそのように主張した）。これに対して，絞殺による殺人の実行行為は終了しているとすると，結果的に被害者は死亡しなかったとしても，何ら結果発生防止行為をせずに放置しているので，Aには中止犯成立の余地はないことになる。このCASEは着手未遂なのか実行未遂なのか，が問題となる。

2　判決要旨——福岡高判平11・9・7判時1691号156頁

＊　「被告人は，被害者の頸部を絞め続けている途中，翻然我に返り，被害者が死亡することをおそれてこれを中止したというのであるが，その際は，…客観的にみて，既に被害者の生命に対する現実的な危険性が生じていたと認

められる…うえ，被告人においても，このような危険を生じさせた自己の行為，少なくとも，被害者が気を失ったのちも約30秒間その頸部を力任せに絞め続けたことを認識していたとみ得るから，その時点において，本件の実行行為は終了していたものと解され」る。そうすると，被害者の救護等結果発生を防止するための積極的行為がなされていない以上，中止犯の成立を認めなかった原判決は正当というべきである。

3 論点の検討

中止未遂の成否が争われる場合，着手未遂の事案なのか実行未遂の事案なのかで，要求される**中止行為**の内容が異なるので，実行行為の終了時期の判断基準が問題となる。とくに，CASEのように，行為者が犯罪行為を続行せずにそのまま立ち去り，何らの措置も講じなかった場合は，実行未遂とされればもはや中止犯成立の余地はなくなるので，終了時期の点は特に重要である。

この点について，既遂に達する性質の動作が終了したと評価できるか否かという客観面に重きをおく見解，行為者の主観を基準とする見解，また主観・客観の両面を総合する折衷的見解などの対立がみられるが，多くの判例は，結果発生の危険が生じたといえるか否かという客観的基準を用いて判断している。このケースに関する上の福岡高裁の判決も，そのような多くの判例の趣旨を踏襲するものとみることができ，妥当なものと評価しうる。

したがって，Aは，殺人罪の障害未遂（199条・203条・43条本文）の罪責を負うものと解するべきである。

4 関連判例——東京高判昭51・7・14判時834号106頁

Cは，殺意をもって日本刀でDの肩を1回切りつけたが，二度目の斬撃を加えることを断念した，という事案について，判決は，傷の深さが骨に達しない程度のものに過ぎず，出血多量による死の危険があったともいえない，と認定した上で，Cの殺害行為がこの一撃で終了したものとは到底考えられない以上，犯行続行を止めるという不作為で足りる着手未遂の事案と認めた。

〔**参考文献**〕
平成11年度重要判例解説150頁以下［塩見　淳］
判例講義刑法Ⅰ総論115頁以下［奥村正雄］
前田雅英『最新重要判例250刑法［第4版］』20頁以下

第 5 章 未　　遂

No. 68　結果防止への真摯な努力

〈CASE〉　Aは，とっさに殺意を生じ，刺身包丁でBの腹部めがけて1回突き刺し，肝臓に達する深さ約12cmの刺創を負わせた。しかし，Bが激痛に耐えかね泣きながら，「病院に連れて行ってくれ」と哀願したため，Bを自動車に乗せ自分で運転して病院に連れて行ったところ，Bは一命をとりとめた。その際Aは，医師に対して，自分が犯人であることを打ち明けて凶器の形状や突き刺した方法・回数等を告げたり，治療費の負担を約束したりすることは全くしていなかった。Aの罪責はどうか。

1　問題のありか

　Aの行為が殺人未遂にあたることは疑いない。問題は，中止犯の成否に関し，①殺意を生じて1回だけ刺したにとどまる点で**着手未遂**といえるか，②被害者の様子を見て救助行為に出た点で**任意の中止**といえるか，③結果発生防止行為の**真摯性**が認められるか，という点である。

2　判決要旨──大阪高判昭44・10・17判タ244号290頁

＊　①本件の突刺行為は，それ自体で殺害結果を発生させる可能性を有するものであり，1回で終了しており，何回も突刺そうとした予謀があったとは考えられないので，いわゆる**実行未遂**の類型に属すると解すべきである。②被告人が殺意を放擲し救助の行動に出たことを，任意に結果発生を防止したと評価できるかについては，殺意の放棄に随伴して被害者の一命を取り留めるための救助活動を開始した点で，被告人がその内心の意思により任意に結果発生の防止に努めたものと評価する余地がある。③しかし，被告人が被害者を病院に担ぎ込んだ際，被害者の母親らに，誰か分からない者に刺されたものであり，犯人は自分ではない旨の虚言を弄していたこと，および，病院到着の直前に凶器を川に投げ捨てて犯跡を隠蔽しようとしていたことは動かしようのない事実であって，被害者を病院に運び入れた際，医師に対して，犯人が自分であることを打ち明けいつどこでどのような凶器でどのように突刺

したとか，治療に必要な経済的負担を約するなどの救助のための万全の行動を採ったものとはいいがたく，単に被害者を病院へ運ぶという一応の努力をしたに過ぎず，この程度の行動では，結果発生防止のため真摯な努力をしたものと認めるには足りないものといわなければならない。

3　論点の検討

まず，①について。未遂には，実行行為が終了前に止まったため，結果が発生しなかった場合と，実行行為は終了したが，その後の事情で結果が発生しなかった場合との2つの形態がある。前者が着手未遂，後者が実行未遂である。着手未遂の場合は，実行行為の途中で犯意を放棄しその後の行為を続けることを止めれば結果は発生しないが，実行未遂の場合は実行行為が終了してしまっているので**中止未遂**となるためには発生を防止するための積極的な行為が必要となる。**CASE**の場合は，「肝臓に達する深さ12cmの刺創」を与えている点で，裁判所のいうように，1回の突刺行為でも，それ自体で実行行為は完了しているもの，すなわち実行未遂とみることに疑問はないと思われる。

②については，裁判所が，このような外部的事情の表象を契機に防止行為がなされた場合でも中止犯成立の余地ありとした点が重要である。任意性肯定の余地が認められるという判断の部分は妥当なものと思う［本書 *No. 64* 参照］。

③中止犯が認められるためには，結果発生防止のための真摯な努力が必要とされる。判例は，真摯な努力か否かを，自ら防止に当たったのと同視できる程度といえるかを基準に判断している［本書 *No. 65* 参照］。では，**CASE**に関する裁判所の考え方はどうか。

判決が，「万全の行動」を要求している点を過大にすぎるとし，犯跡を隠蔽しようとした事実をあげるのは結果発生防止行為とは無関係である旨批判する見解もある。しかし，治療に当たる医師に，凶器の形状や突刺した態様や回数を告げることは救命のための治療と無関係ではないし，そうするためには自分が犯人であることを打ち明けるしかないともいえる。こう考えると，罪を逃れようとする考慮から防止行為が「単に病院に運んだだけ」になってしまった**CASE**に，中止未遂を認めなかった裁判所の判断は妥当なものといえるのではないだろうか。

Aの行為は，殺人罪の未遂（199条・203条）に該当し，同罪の障害未遂（43条本文）の罪責を負うものと解するべきである。

III 不能犯

No. 69 | 絶対的不能と相対的不能

〈CASE〉 AはB女と共謀し，B女の内縁の夫Cの殺害を企て，第1に，硫黄の粉末5gを入れた味噌汁をCに飲ませ，また数日後に硫黄粉末を投入した水薬をCに飲ませたが，腹痛を訴えただけで期待した殺害の効果がまったく現れなかった。そこで第2に，両名はついに意を決してCを絞殺し殺害の目的を遂げた。第1の行為について，AおよびB女の罪責はどうか。

1 問題のありか

殺人のような故意の結果犯が行われたように見えても，その行為が性質上結果を発生させることがおよそ不可能なものであったときは，不能犯として不可罰である。もとより未遂犯にもならない。**不能犯**は，構成要件に該当する実行行為といえない場合だからである。しかし，可罰的な**未遂犯**にあたるか，不可罰の不能犯に過ぎないのかは，実際上区別が微妙な場合もある。そこで，不能犯と未遂犯の区別の基準をどのように考えるかが問題となる。

2 判決要旨——大判大6・9・10刑録23輯999頁

＊ 殺意をもって2個の異なる殺害方法を他人に施したところ，第1の方法によっては殺害結果を惹起することが・絶・対・に・不能であって，単に他人を傷害したにとどまり，第2の方法を用いることによって初めて殺害目的を達成したときは，これら2個の行為がいずれも同一の殺意から出たものだとしても，第一の行為が殺人罪として純然たる不能犯に属する場合においては，その行為の結果が傷害罪に該当する場合は傷害罪をもって処断すべきであって，第2の行為による殺人罪の既遂と連続犯の関係に立つ殺人罪の未遂をもって論ずべきではない。

3 論点の検討

CASEでは，硫黄粉末を摂取させるという，科学的に人の死を惹き起こすことがありえない方法が殺害手段として用いられた場合に，これを不能犯とすべきか否かが問題となる。今日であれば，硫黄という物質が人を死亡させるに足る毒性を有しないことは常識に属することかもしれないが，この当時，行為者らは本気で殺害の手段としての有効性を信じて実行したのである（実際，効果がないと分かった後，今度は手段を絞殺に代えて結果的に殺害を果たしているのである）。

CASEについて大審院の判決が，硫黄の投与によっては結果発生は「絶対に不能」といっているように，判例は，結果発生が**絶対的に不能**な場合を不能犯とし，**相対的不能**にすぎない場合を未遂犯としている。絶対的不能とは，およそ一般的に犯罪の実現が不可能な場合を意味し，相対的不能とは特別な事情のために犯罪実現が不可能な場合を意味するとされる。なにが絶対的不能なのかという区別がはっきりしない，という批判もあるが，結果発生の危険性を客観的に判断しようとする判例の指向には正当なものがある。

このような判例の見解は古い客観説と呼ばれるものであるが，これに対して，**具体的危険説**と呼ばれる見解（新しい客観説とも呼ばれる）は，具体的事実に即して，一般人の目から見て結果発生の危険性ありと判断される場合は未遂犯として処罰すべきとする。この基準によれば，硫黄を飲ませる行為が一般人の目にどう映るかが問題となる。たしかに，砂糖で人が殺せると思って砂糖を飲ませた場合よりは危険を感じる度合いが高い，として疑問を呈する向きもあるが，すでに述べたように，今日では，硫黄という物質が人を死亡させるに足る毒性を有しないことは常識に属することであるから，一般人が危険を感じることはないといってよいであろう。大審院が不能犯とした結論は妥当なものと思われる。

したがって，AおよびB女は，第1の行為については，殺人未遂罪の責めを負うものではなく，傷害罪（204条）に問われるにとどまるものと解するべきである。

〔**参考文献**〕
　基本判例5刑法総論90頁［奥村正雄］
　西原春夫ほか編『判例刑法研究4』73頁［野村　稔］
　刑法基本講座(4)3頁［野村稔］

第5章 未　　遂

| ***No. 70*** | 方法の不能——空気注射事件 |

〈**CASE**〉　Aは，知的障害を持つ自分の姪Bを殺害して保険金を取ろうと考え，Bの静脈内に空気を注射して空気栓塞により殺害することを企て，だまされて注射を承諾したBの両腕静脈内に，蒸留水5ccとともに合計30ccないし40ccの空気を注射した。しかし，致死量に至らなかったため殺害の目的を遂げなかった。Aの罪責はどうか。

1　問題のありか

　人体に空気を注射し空気栓塞の方法で死亡させるためには，少なくとも70ccないし300ccの空気の量が必要である（本件第一審時の2つの鑑定）。とすれば，「30ccないし40ccの空気の静脈内注射」によっては死の結果を発生させることは不可能ということになる。そうすると，Aの行為は，その性質上およそ結果を発生させることができないので，不可罰の不能犯ということになるのか。

　第一審判決は，注射された空気の量が致死量以下でも身体的条件のいかんによっては死の結果発生の危険が絶無とはいえない，として殺人未遂罪を認めた（前橋地判昭35・7・13高刑集14巻4号257頁）。これに対して，控訴審判決は，本件の場合のような空気の量では通常人を死に致すことはできないことを認めつつ，医師ではない一般人は，血管内に少しでも空気を注入すればその人は死亡するに至るものと観念されていたことは明らかであるから，そのような行為は空気の量にかかわらずきわめて危険と考えるのが社会通念である，として殺人未遂罪の成立を認め，被告人の控訴を棄却した（東京高判昭36・7・18高刑集14巻4号250頁）。これに対する上告にこたえたのが次の判決である。

2　判決要旨——最判昭37・3・23刑集16巻3号305頁

＊　「所論は，人体に空気を注射し，いわゆる空気栓塞による殺人は絶対に不可能であるというが，原判決並びにその是認する第一審判決は，本件のように静脈内に注射された空気の量が致死量以下であっても被注射者の身体的条件その他の事情の如何によっては死の結果発生の危険が絶対にないとはいえ

ないと判示しており，右判断は，原判示挙示の各鑑定書に照らし肯認するに十分であるから，結局，この点に関する所論原判示は，相当である」。

3　論点の検討

　CASEは，通常は人の死を惹き起こす可能性を持たない，致死量に満たない少量の空気の注射行為を，不可罰の**不能犯**とすることができるかが争われたものである。上の最高裁の判決は，その不能犯と**未遂犯**との限界づけに関する「判例の典型的な判断方法を示したものとして重要」なもの（下記・刑法判例百選134頁）である。

　すなわち，多くの判例は，結果発生の危険を客観的に判断しようとする**客観的危険説**によっており，それは本判決以外にも，硫黄投与により毒殺を図ったケースに不能犯を認めたもの［本書 ***No. 69***］や，爆発力を完全に失った手榴弾を投げ込んで殺害を企てた行為を，「爆発力を利用し人を殺害せんとしても，その目的とした危険状態を発生する虞はない」として不能犯としたもの（東京高判昭29・6・16東高刑時報5巻6号236頁），また，覚せい剤を密造しようとしたが原料が真正なものでなかったというケースで，「結果発生の危険は絶対に存しない」として不能犯を認めたもの（東京高判昭37・4・24東高刑時報15巻4号210頁）などの中に一貫して見られる判例の傾向といってよい。

　これに対して，本件の控訴審判決は，結論において第一審を肯定してはいるが，その理由は明白に異質な論理によっており，学説の大勢を占める**具体的危険説**の強い影響が看取されるものとなっている。一般人が危険を感じるかどうかを基準とするこのような判断方法については，相当ラフな判断が行われるおそれがあるとする批判（下記・刑法判例百選135頁）に注意すべきである。判例が一貫して客観的危険説に立脚するのには理由がある。CASEについての最高裁判決も，原審（控訴審）の結論は支持しながら，その具体的危険説的な判示部分については言及を避けているのである。

　結局，Aは殺人未遂罪に問われるものと解するべきである。

〔参考文献〕
　刑法判例百選Ⅰ総論［第4版］134頁［山口　厚］
　基本判例5刑法総論91頁［奥村正雄］
　判例講義刑法Ⅰ総論117頁［奥村正雄］

第5章 未　遂

予備・未遂・既遂

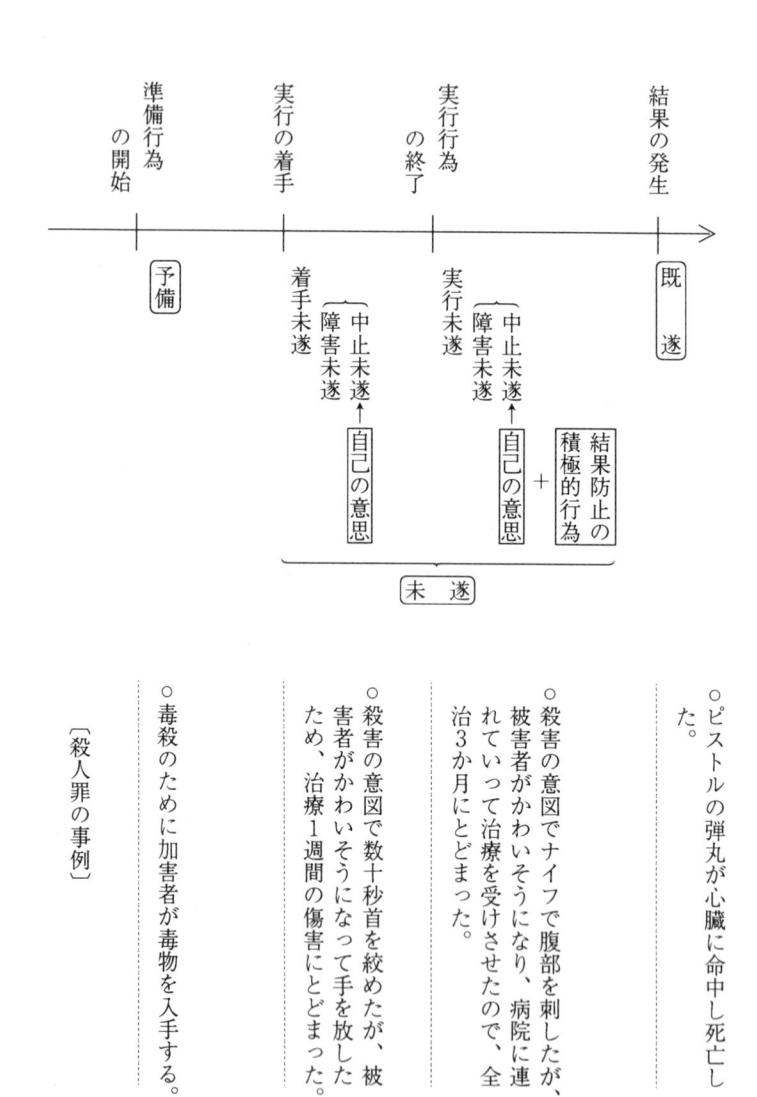

```
準備行為      実行の着手    実行行為      結果の発生
の開始                    の終了
──┼──────┼──────┼──────┼──▶
    │予備│     │着手未遂│    │実行未遂│    │既遂│
              ├中止未遂↑   ├中止未遂↑
              │障害未遂│   │障害未遂│
              └自己の意思┘  └自己の意思┘＋結果防止の積極的行為
              └──────未　遂──────┘
```

【殺人罪の事例】

○毒殺のために加害者が毒物を入手する。

○殺害の意図で数十秒首を絞めたが、被害者がかわいそうになって手を放したため、治療1週間の傷害にとどまった。

○殺害の意図でナイフで腹部を刺したが、被害者がかわいそうになり、病院に連れていって治療を受けさせたので、全治3か月にとどまった。

○ピストルの弾丸が心臓に命中し死亡した。

第6章

正犯と共犯

> **共犯の従属性**
> 　教唆行為によって犯罪が惹起された場合，その正犯者の行為があってはじめて教唆行為が可罰的なものとなるので，共犯（教唆犯）の従属性と呼ばれる。幇助行為も正犯が犯罪を実現したとき幇助犯として処罰される点で同様である。これに対し，共同正犯は，共謀に基づいて，共謀者の全部（実行共同正犯）または一部（共謀共同正犯）が実行行為をすることによって成立するものであり，必ずしも従属という概念にそぐわない。
>
> ◆刑法用語ミニ辞典◆

第6章　正犯と共犯

Ⅰ　間接正犯

No. 71　刑事未成年者の利用

〈CASE〉　義父Aは，12歳になる養女B子が自分の言うことを聞かなかったりすると，その都度殴ったり，タバコの火を顔に押しつけたりして，自分の意のままに従わせることを常日頃から行っていた。Aは，B子を連れて四国八十八ヶ所巡礼の旅をしていたが，宿泊費用等に困ってしまい，B子を利用して巡礼先のお寺から金を取ろうと考えた。AはB子に，寺の金を盗んでくるように命じた。Aから殴られることを恐れたB子は，その命令に従い，計10回にわたって，嫌々ながら窃盗を実行した。Aの罪責はどうなるか。

1　問題のありか

刑事未成年者（14歳未満の者）を使用して窃盗行為を行わせることは，窃盗の**間接正犯**になるのか，それとも，被利用者たる刑事未成年者にとっては，窃盗は違法な行為だと分かっているし，是非善悪の弁識能力はあるのだから，Aは，間接正犯ではなく**教唆犯**になるのではないかという問題である。

2　決定要旨──最決昭58・9・21刑集37巻7号1070頁

＊　「自己の日頃の言動に畏怖し意思を抑圧されている同女を利用して右各窃盗を行ったと認められるのであるから，たとえ緒論のような同女が是非善悪の判断能力を有するものであったとしても，Aについては本件各窃盗の間接正犯が成立すると認めるべきである」。

3　論点の検討

刑法61条は，「人を教唆して犯罪を実行させた者には，正犯の刑を科す」とし，犯罪を実行させた者を教唆犯としている。犯罪を実行した者を**正犯**という。犯罪の実行は，他人を「道具」のように使って行うこともできる。人を道具として使って犯罪を実行することを「**間接正犯**」という。

教唆犯の処罰は，実行行為者である正犯の犯罪行為に従属した場合にのみ可能だとされている。そこで，正犯には，どの程度までの犯罪成立要素が必要かという，**要素の従属性**が問題になる。犯罪行為というのは，犯罪構成要件に該当し違法で有責な行為を意味するから，犯罪の実行行為者には責任非難が可能でなければならない。正犯者に責任性が欠けるときは犯罪の実行行為者ではないことになるから，従属性が欠けることになり処罰されることはない。このような考えを**極端従属性説**という。この見解に従うと，実行行為者がいないのであるから正犯者も共犯者もいないことになる。そこで，責任無能力者を利用した者は間接正犯者だとしたのである。しかし，13歳の少年が，窃盗は違法行為だということが分かっているのにあえて実行している場合でも正犯ではないとして，教唆した者を間接正犯とすることは疑問であろう。そこで，正犯者は構成要件に該当し違法な行為を行う者であればよいとする考えが出てきた。これを制限従属性説という。この説に従うと，責任無能力者を利用して犯罪を行わせた者は，実行行為者に関与したのであるから教唆犯になる。

しかし，幼児をそそのかして窃盗をさせることも教唆犯になるとするのは常識に反するので，**制限従属性説**に従う学者も，このような場合は間接正犯になるとする。刑事未成年者を利用して犯罪を実行した場合は，原則として教唆犯となるが，刑事未成年者に是非善悪の弁識能力がないときは間接正犯になり，あれば教唆犯である。しかし，12歳の刑事未成年者ではあるが，窃盗は違法行為だということが理解できる者もいるし，13歳でも，是非善悪の弁識（判断）能力がない者もいる。**CASE** ように，意思が抑圧されていた場合もある。このように，従属性の理論からは明確な解答を引き出すことができない。そこで，正犯になるのはどのような場合か，ということから考えていくことになる（最新重要判例250［第3版］69頁［前田］）。

正犯というのは「犯罪を実行した者」のことであるから，被利用者を事実上支配したりして，結果発生に重要な役割を演じた者のことである。**CASE** の場合，B子に是非善悪の弁識能力があったとはいえ，行動の自由が抑止され，AがB子を事実上支配していたと考えられるから，Aは窃盗の間接正犯になる。

〔参考文献〕
　刑法判例百選Ⅰ総論［第4版］148頁［園田　寿］
　平成13年度重要判例解説156頁［島田聡一郎］

第6章　正犯と共犯

| No. 72 | コントロールド・デリバリーと間接正犯の成否 |

〈CASE〉　Aは，マニラ市内から大麻を隠した仏像を，共同経営している居酒屋宛に航空貨物便で発送するようブローカーに依頼し帰国した。この貨物は，新東京国際空港に到着後，情を知らない通関業者によって輸入申告がなされ，税関検査の結果大麻の隠匿が判明した。そこで，税関と警察が，麻薬特例法4条にもとづいて，いわゆるコントロールド・デリバリーを実施することにし，捜査協力を配達業者に要請した。業者が承諾したのち税関長の輸入許可がなされ，捜査当局の監視の下に配送業者が航空貨物を受け取ってAが共同経営する居酒屋に配達し，受け取ったところで現行犯逮捕した。Aの罪責はどうなるか。

1　問題のありか

輸入というのは，外国から本邦へ到着した荷物を本邦に引き取ることをいい，その引取りには，申告，検査，関税の賦課徴収，輸入許可という一連の手続きがとられる。CASEの場合，輸入許可が行われる前に大麻が発見され，配達業者が捜査当局の監視のもとに引き取り，依頼者の所へ配達したのであるから，禁制品輸入罪は未遂ではないのか，また，情を知らない者を犯罪実現の「道具」として利用したものであるから，第三者を利用した禁制品輸入罪の間接正犯を構成するのではないか，コントロールド・デリバリーに協力した配達業者は途中で情を知ったのであり，しかも捜査当局の「道具」となったのであるから，その後の行為は適法行為として行われており，犯罪は成立しないのではないか，といったことが問題になる。

2　決定要旨──最決平9・10・30刑集51巻9号816頁

＊「Aは通関業者や配送業者が通常の業務遂行として右貨物を輸入申告し，保税地域から引き取って配送するであろうことを予期し，運送契約上の義務を履行する配送業者らを自己の犯罪実現のための道具として利用したものであり，配送業者が捜査機関から事情を知らされ，その監視のもとに置かれた

からといって，それがAの依頼に基づく運送契約上の義務の履行としての性格を失うものではない」として，禁制品輸入罪の既遂を認めた。

3　論点の検討

コントロールド・デリバリーとは，捜査機関が規制薬物等（大麻）を発見してもその場で直ちに逮捕することはせず，十分な監視の下にその運搬を継続させて，禁制品の不正取引に関与する背後の中心人物を割り出す捜査方法をいう。配達業者は，コントロールド・デリバリーにより，捜査当局に頼まれた行為をしているのであり，Aに頼まれたことをしているのではない。

関税法109条1項などの禁制品輸入罪については，海路の場合は陸揚げされたとき，空路の場合は取りおろしをしたときが輸入行為であるとされているが，保税地域（保管倉庫）を経由する場合は，保税地域から本邦に「引き取った時点」が既遂時期とされている（刑法判例百選Ⅰ総論［第4版］156頁［齋野］）。Aは，情を知らない通関業者を介して輸入申告させたのであるが，その品物を引き取ってはいない。禁制品輸入罪が成立するのは，配達業者が新東京空港の貨物保管倉庫から大麻を引き取った時点であるから，Aには，その時点で，その者を「道具」として使用していたと認定できるだけの支配関係がなければならない。しかし実際は，捜査当局の監視の下に引き取ったのであるから，それは捜査当局の「道具」としての行為であり，Aの支配は受けていないのである。禁制品輸入罪は未遂と考える余地もある。

しかし，捜査官の指示がなくても同じようなことが行われるのである。配達行為は，捜査機関の指示を受けているとはいえ，通常の営業行為なのである。そうすると，Aは，運送契約にもとづいた履行をさせたという支配関係を持つことになるので，第三者を道具として使用し自己の犯罪を実行したことになり，禁制品輸入罪の間接正犯が成立する。

CASEの場合，保税地域からの引取りは，捜査機関の道具として適法に行われている。適法な行為を利用する**間接正犯**についても，制限従属性説からは，その成立が当然に認められる。ただ，正犯とするためには，結果を支配する積極的な実行行為性が認められなければならないのであるが，運送契約上の義務を履行する配送業者らを自己の犯罪実現のための道具として利用しているのであるから（本決定要旨参照），間接正犯が成立する。

〔参考文献〕
前田雅英『最新重要判例250刑法［第4版］』78頁

第6章　正犯と共犯

Ⅱ　共 同 正 犯

No. 73　12歳の少年利用と共同正犯

〈CASE〉　スナックのホステスA子は，勤務先の経営者X女から金品を強取することを企て，自宅にいた長男B（12歳10か月）に対し，脅迫の方法を教え甲女から金品を奪うことを指示・命令した。Bは嫌がっていたが，A子は説得し，覆面用ビニール袋やエアーガンをBに交付した。Bはスナックに赴きビニール袋で覆面をし，X女を指示された方法で脅迫したほか，B独自の判断で，シャッターを下ろしたりX女に「殺さないからトイレに入れ」と言いトイレに閉じこめるなどして，現金約40万円を強取してA子に渡した。A子の罪責はどうなるか。

1　問題のありか

刑事未成年者のBは，母親A子に言われるままに覆面用のビニールを被りエアーガンを携えてX女を脅迫したのであるが，そのとき，「B独自の判断」によりスナックのシャッターを下ろしたり，X女をスナック内のトイレに閉じこめたりしている。この自主的判断も「道具」としての行為となるのか，また，「道具」でない場合，A子は，刑事未成年者Bとの共同正犯が成立するのかといったことが問題になる。

2　決定要旨——最決平13・10・25刑集55巻6号519頁

＊　「本件当時Bには是非弁別の能力があり，A子の指示・命令はBの意思を抑圧するに足りる程度のものではなく，Bは自らの意思により本件強盗の実行を決意したうえ，臨機応変に対処して本件強盗を完遂したことが明らかである。よってA子には，本件強盗の教唆犯ではなく共同正犯が成立する」。

3　論点の検討

正犯とは，自らの手で犯罪を実行した者のことである。人を道具として利用した場合は**間接正犯**となる。間接正犯の成立には，他人を自己の犯罪実現のた

めに道具として使用したということがなければならない。

　CASE *No. 71* の例では，是非善悪の弁識（判断）能力がある刑事未成年者（12歳）だとしても，養父の日頃の言動に畏怖し，意思を抑圧され自立性に欠ける者を利用して窃盗を行わせることが間接正犯になるとされたし，高裁の裁判事例でも，10歳の少年が機械的に動いただけで，少年自身に自分が利得しようとする意思もなかった場合は，被利用者に，判断および行為の独立性ないし自主性はなかったという理由で間接正犯を認めている（**4** の関連判例を参照）。したがって，被利用者が刑事未成年者であっても，是非善悪の弁識（判断）能力があり，意思が抑圧されておらず，構成要件的結果の意味を認識して自由な判断のもとに実行行為に出た場合は，間接正犯ではないことになる。

　それでは，刑事未成年者ではあるが，被利用者が自由な判断の下に犯罪を実行した場合，犯罪を共同したとして，共同正犯になるのであろうか。この点について，Bは自由な判断のできる者であるから，A子と共同して犯罪を実行するという意思の合致は可能であると考えられる。判例のとる**共謀共同正犯論**の立場からは，共同謀議に参加した者のうち1人が犯罪を実行した場合でも，他人の行為をいわば自己の手段として役割分担のもとに犯罪を実行したと考えられるときは共同正犯が認められる（*No. 74* の CASE 練馬事件判決参照）。CASE の場合，A子は，生活費欲しさから強盗の計画をしBに犯罪計画を指示・命令したのである。だが，Bが独自の判断で奪ってきた金品を生活費に充てたし，A子の欠けるところをBが補い，Bの欠けるところをA子が補って犯罪を実行しているのであるから，強盗罪の共同正犯を認めることができる。もちろん，刑事未成年者Bの犯罪は成立しない。

4　関連判例──大阪高判平7・11・9判時1569号145頁

　日頃からDを非常に怖い男だと思っていたC（10歳）は，交通事故に遭い倒れている人の側にバッグが落ちているのを目撃した。DはCに，「そのバックを取ってこい」と命令した。逆らったら何をされるか分からないと思って怖くなり，バッグを取ってDに渡したという事例について，「自己が直接窃盗行為をするかわりに，Cに命じて自己の窃盗目的を実現させたものである以上，たとえ，Cがある程度是非善悪の判断能力を有していたとしても，Dには，自己の言動に畏怖し意思を抑圧されているわずか10歳の少年を利用して自己の犯罪行為を行ったものとして，窃盗の間接正犯が成立する」とした。

No. 74 共謀共同正犯——練馬事件

〈CASE〉 東京都練馬区で発生した製紙会社の労働争議に際して、第一組合員の間では、第二組合の委員長と、紛争処理に当たっていた練馬署の警察官に対する反感が高まっていた。AとBは権力闘争の一貫として、第二組合の委員長と警察官に暴行を加えようと計画し、B方において他の1名と謀り、具体的な実行の指導ないし連絡についてはBがその任に当たることを決めた。決行当夜、Cほか数名がC方、Dほか数名がD方に集合しそれぞれ委員長や巡査の襲撃を協議したが、たまたま委員長の所在が不明であったので、Bの連絡示唆によりD方グループも巡査の襲撃計画に合流し、さらに、BやDを介して別の数名が加わることになった。実際の襲撃現場に赴いたのはCほか数名であるが、彼らは巡査を襲撃し鉄管や丸棒で後頭部を乱打し死亡させた。A、B、C、Dらの罪責はどうなるか。

1 問題のありか

60条は、「2人以上共同して犯罪を実行した者は、すべて正犯とする」と定めている。**共同正犯**が成立するには、共同して犯罪を実行しようとする意思の連絡の下に犯罪を現実に実行したことが必要であり、実行を分担していない者に対して「共同」正犯の責任を問うことはできない。ところが、判例は古くから、共謀だけによる共同正犯の成立を認めてきた。

CASEの場合、実際に実行行為を行ったのはCほか数名であるが、A、B、C、Dらは、一堂に会して襲撃の計画を立てたのではなく、まずAとBが共謀し、Bが連絡係で、C、Dは別々に襲撃を協議している。このような場合、A、B、C、Dなど全員に共同正犯として傷害致死の責任が問えるのかということが問題となる。

2 判決要旨——最判昭33・5・28刑集12巻8号1718頁

＊「謀議に参加した事実が認められる以上、直接実行行為に関与しない者でも、他人の行為をいわば自己の手段として犯罪を行ったという意味において、

その間責任の成立に差異を生ずると解すべき理由はない」。
* 「数人の共謀共同正犯が成立するためには、その数人が同一の場所に会し、かつその数人間に一個の共謀の成立することを必要とするものではなく、同一の犯罪についてAとBが共謀し、次にBとCが共謀するというようにして、数人の間に順次共謀がおこなわれた場合は、これらの者すべての間に当該犯行の共謀が行われたと解するのを相当とする」。

3　論点の検討

　共同正犯というのは、「共同して犯罪を実行した」ことをいうから、共同謀議には参加したが実行行為の一部負担もしなかった者は、「共同」正犯とはならないのである。しかしわが国は、共同謀議に加わっただけで共同正犯とする理論を発展させてきた。これを**共謀共同正犯論**という。判例は当初、知能犯についてのみ共謀共同正犯を認めていたが、その後実害犯についても認めるようになった。このような判例の立場に理論的支柱を与えたのが「共同意思主体説」である。2人以上の者が同一犯罪に向けて共謀するとき、そこに一心同体の共同意思主体が形成され、その一部の活動は共同意思主体の活動であるから、直接実行に出ない他の共謀者も行為全体の責任を負うとするのである。

　実行行為がないのに正犯性を認めることに対しては厳しい批判がなされてきた。しかし、判例の立場も理解できるということから、今日では、共謀共同正犯を認めるにしても、単に共謀に加わっただけでは足りず、**個人責任主義**を強調し、成立に歯止めを掛けようとする考えが主張されている。本人が実行者を自分の思うように行動させ、本人自身がその犯罪実現の主体となったような場合を正犯とする説、共同意思の下に一体となって相互に理解し合い、互いに相手を道具として利用し合う関係にある共謀者も正犯となるとする説などである。

　謀議に参加しただけの者を正犯とする考えには問題があるので、仲間を裏切れないという心理的拘束や、他人の行為を自己の手段として犯罪を実行するという意思のある共謀かどうかを考慮して、共同正犯の成立を認めるべきである。**CASE**の場合、**順次共謀**が行われ、そのことが心理的拘束となり、仲間がいるということで意が強くなって犯罪を実行しているのであるから、全員に傷害致死罪の共同正犯の成立を認めることができる。

〔参考文献〕
　刑法判例百選Ⅰ総論〔第4版〕150頁〔小暮得雄〕
　判例演習〔刑法総論〕166頁〔香川達夫〕
　前田雅英『最新重要判例250刑法〔第4版〕』82頁

No. 75　見張りと共同正犯

〈CASE〉　Aは，知り合いのB，C，Dらと共謀して，工場の作業所から金糸3梱包を盗み出した。しかし，作業所から金糸を持ち出したのはB，C，Dで，Aは塀の外で「見張り」をしていただけであった。Aの罪責はどうなるか。

1　問題のありか

Aは塀の外で見張りをしていただけであるから，「共同して犯罪を実行した」ことにはならないので幇助犯に該当するのか，共同謀議に参加していたのであるから，塀の外で見張りをしていたことも実行行為の一部負担であり共同正犯になるのかということが問題になる。

2　決定要旨——最決昭23・3・16刑集2巻3号220頁

＊　「数人が強盗又は窃盗の実行を共謀した場合において，共謀者のある者が屋外の見張りをした場合でも，共同正犯が成立するということは，大審院数次の判例の示すところであって今これを改むべき理由は認められない。従って，Aを，窃盗罪の共同正犯と認めた原判決は正当である」。

3　論点の検討

「見張り」は，犯罪実行の障害となることを排除したり，犯罪が発覚することを防止したりして，犯罪の完成に向かって援助することを目的として行われる。見張り行為それ自体は犯罪の実行行為ではないから，幇助犯でしかないのであるが，犯罪現場まで行って見張りをすることが，犯罪実行の一部負担を行っていたと考えられる場合は，共同正犯になる。

賭博の見張りは幇助犯とされているが（大判大7・6・17刑録24輯844頁），殺人や窃盗，強盗の見張りは共同正犯にされることが多い。判例は**共謀共同正犯**を認めているので，共謀に加わって，自己の行為として参加しているときは共同正犯になるとされる。

共同正犯と幇助犯の関係については，犯行を自ら実行する意思で行為する者

を正犯，他人の犯罪に加担するだけの意思で行う者を幇助犯であるとする主観説，犯罪の実行に関し行為者が分担した行為に重点を置き，その行為が犯罪の実行に欠くべからざる重要な影響を与えた者を正犯，そうでない者を幇助犯とする客観・実質説，実行行為を担当した者は正犯，そうでないものを幇助犯とする客観・形式説がある（刑法判例百選Ⅰ総論［第4版］152頁［松村］）。主観説は，見張りを担当した者が自らの犯罪を実行する意思であった場合は共同正犯，他人の実行を援助する意思であった場合は幇助犯，客観・形式説では，見張りは共同正犯とならない。客観・実質説は，見張り行為の実行行為への密着性，重要性により共同正犯になったり幇助犯になったりする。窃盗団を運転手として犯行現場に運び，その場に待機する行為は共同正犯とはならない（大阪地堺支判平11・4・22判時1687号157頁）。実行行為への密着性がないからである。

共同意思主体説は，見張りをした者が共謀に加わっている以上，犯罪実行と密接性がなくても共同正犯の成立を認める。しかし，単に犯罪行為の実行を助けた程度では，「共同して犯罪を実行した」とはいえない。練馬事件判決で示されたように，「直接実行行為に関与しない者でも，他人の行為をいわば自己の手段として犯罪を行った」と認められる程度のものが必要である。したがって，犯行現場で離れたところから犯罪全体を指揮していたような場合は，共同正犯をみとめることができるが，**CASE** の場合，犯行現場で指揮していたことでもないので，窃盗罪の幇助犯の成立を認めるべきである。

4　関連判例──大阪高判平8・9・17判夕940号272頁

Eはある店の用心棒をしていたが，Fがその店のオーナーを恐喝して金を取ろうとしていることを知りながら，Fの依頼によりこのオーナーをFに引き合わせ，EがFにかわって喝取金を受け取ったという事案について，「Eは実行行為を分担しておらず，Fとの間で共謀があったと認めることもできないので，Eに共同正犯としての罪責を認めるべき証拠は不十分である」として幇助犯の成立を認めた。

〔参考文献〕
　前田雅英『最新重要判例250刑法［第4版］』85頁
　判例演習［刑法総論］186頁［藤木英雄］

第6章　正犯と共犯

| No. 76 | 過失の共同正犯 |

> **〈CASE〉** AとBは，地下洞道において，電話ケーブルの接続部分を覆っている鉛管部分をトーチランプの炎で熔解して開け，断線があるかどうかを探索する作業に従事していたが，断線箇所を発見したので，その修理方法を検討するために一時洞道外に出た。その際，2個のトーチランプの炎が確実に消火しているかどうかについて何ら確認することなく，ランプを電話ケーブルの布製防護シートの近くに置いたまま同所を立ち去った。そのため，とろ火状態にあった1個のランプから防護シートに着火し，さらに電話ケーブルに延焼させて電話ケーブル合計104条と洞道壁面225メートルを焼損させた。A，Bの罪責はどうなるか。

1　問題のありか

　過失による幇助や教唆は，実行行為に関与する意思がないので認められないとされている。教唆や幇助は故意でしか行い得ないからである。ところが，過失の共同正犯については，許されない危険行為を共同実行しているということから，認める傾向にある。しかし，過失が競合したにすぎないのであるから，処罰できないのではないか（過失の未遂）という問題がある。

2　判決要旨——東京地判平4・1・23判時1419号133頁

＊　「共同作業者間において，その注意義務を怠った共同の行為があると認められる場合には，その共同作業者全員に対し過失犯の共同正犯を認めたうえ，発生した結果全体につき共同正犯者としての刑事責任を負わしめることは，何ら刑法上の責任主義に反するものではない」。

3　論点の検討

　過失の共同正犯をめぐっては，古くから，犯罪共同説と行為共同説との対立があった。犯罪共同説は，過失というのは結果に対しての意思がないので，意思の連絡がないのなら共同実行はあり得ないとし，成立を否定する。行為共同説は，60条の「共同して犯罪を実行した」場合の「犯罪」には故意行為たると

過失行為たるとを問わず，その行為を共同にする意思であれば足りるとして，過失犯についても共同正犯が成立するとする。否定説は，このようなものは過失の同時犯だとし，誰の行為から結果が発生したのか分からないので，過失の未遂となり，過失の未遂は不可罰であるから，処罰されないとする。

共同正犯というのは，共同者が互いに補充しあう行為によって１つの結果に到達しようという決意のもとに犯罪を実行して初めて成立するものであるから，互いの行為について意思の合致が必要である。数人が過失によって構成要件的結果を引き起こす場合は，数個の過失犯が成立するだけだと考えられる。

にもかかわらず過失の共同正犯を認めようとするのは，相互利用・補充という共同の注意義務を負っている共同作業者間において，その注意義務を怠ったという共同の行為があったからである。共同で何らかの危険な行動をしている者には，互いの行為について気を配る義務があり，その**注意義務**に違反して結果が発生した場合，責任を負わなければならない。たとえば，甲と乙が共同して別々の材木を投げたところ，下にいた者を死亡させたが，誰の材木で死亡したか分からない場合は，過失犯の未遂となるから不処罰である。この場合，否定説は，お互いに相手の過失からの結果が発生しないようにする監督義務違反行為があったということであるから，監督過失の同時犯だというのである。しかし不可罰とするのはあまりにも安易であろう。

過失の共同正犯を認めるのは，共同して危険な行為を行い人を死亡させたが，誰の行為によって結果が発生したか明らかでない場合に，共同行為者全員を共同正犯として処罰することに重要な意味がある。

CASEでは，トーチランプを確実に消火したことを相互に確認せず立ち去っている。自己の過失だけでは失火という状況に陥らなかったのであり，お互いに相手の過失が作用して焼損という結果が発生した。相手の過失があって自分の過失と重なって犯罪が実行された場合には，足らざる所を補って犯罪の実行があったのであるから，A，Bに業務上失火罪の共同正犯が認められる。

〔**参考文献**〕
　刑法判例百選Ⅰ総論〔第4版〕160頁〔松本一郎〕
　前田雅英『最新重要判例250刑法〔第3版〕』85頁
　判例演習〔刑法総論〕172頁〔木村亀二〕

No. 77　結果的加重犯の共同正犯

〈CASE〉　A，B両名は強盗を共謀し，凶器を携えてCの家に侵入した。家人にピストルを突きつけて現金を強奪したうえ，さらに家の中を物色中に，家人が非常ベルを鳴らして脱出しようとしたので，家人の1人にAがピストルを発射して腹部貫通の傷を負わせ（後に死亡），A，Bとも逃亡した。A，B両名は家人に「泥棒泥棒」と連呼され追跡されながら逃げた。家から約100メートルの時点で警察官2名に発見されAはその場で逮捕されたが，Bはなお逃亡した。ところが，Bは追いかけてきた警察官に逮捕されそうになったので，逮捕を免れるため，この警察官を包丁で刺し死亡させた。A，Bの罪責はどうなるか。

1　問題のありか

結果的加重犯というのは，強盗致死傷罪のように，強盗という基本犯から重い結果が発生した場合，基本犯より重く処罰されるものをいう。A・Bは強盗を共謀し，強盗の現場で殺人（致死）行為を行っているのであるから，この強盗殺人（致死）についての責任を両名が負うことは当然であるが，Aの知らないところで行われたBの，警察官に対する傷害致死行為が「強盗の機会」に行われたことになるのか，また，Bによる警察官殺害までの責任をAも負うのかが問題になる。

2　判決要旨——最判昭26・3・27刑集5巻4号686頁

＊　「右Bの傷害致死行為は強盗の機会において為されたものといわなければならないのであって，強盗について共謀した共犯者らはその1人が強盗の機会において為した行為については他の共犯者も責任を負うべきものであることは当裁判所の判例とするところである（昭和24年(れ)第112号同年7月2日第2小法廷判決）。それ故Bの行為についてもAは責任を負わなければならない」。

3　論点の検討

強盗致死傷罪における死傷の結果は，被害者への反抗を抑圧する程度の暴

行・脅迫から直接生じる必要はない。殺傷が強盗の手段であることも必要ない。「**強盗の機会**」に生じたもので足りる（大判昭6・10・29刑集10巻511頁）。しかし，少なくとも強盗行為に接近したものでなければならない。なぜなら，強盗致死傷罪は強盗から生じる結果的加重犯だからである。

結果的加重犯には，重い結果についての故意は必要ないとされている。傷害致死の場合，死亡についての認識を必要としない（死亡についての故意がある場合は，殺人罪になる）。判例は結果的加重犯の重い結果につき過失を必要としないから（最判昭32・2・26刑集11巻2号906頁），Bの突飛な行動から生じたものについても，Aは責任を負わなければならないことになる。しかし，学説の多数は，結果的加重犯の重い結果について過失を要求し，少なくとも予見可能性がなければならないとする。

結果的加重犯は，基本犯については故意が存在するのであるから，基本となる犯罪について意思の連絡があれば，それと**相当因果関係**にある結果の発生については責任を負うことになる（重い結果に対して過失を必要とするからといって，過失の共同正犯を認めることと同じではないことに注意）。

Bの警察官殺傷行為は強盗の結果的加重犯といえるのか。独立の殺傷行為ではないのか。全く予見不可能な部分についての責任を負わせることは責任主義に反するからである。**CASE**の場合，強盗致傷行為の現場から逃走し，家人に追われ，警察官に追い付かれ，Aは逮捕されBは逃走したが，Aにとって，Bの逃走が逮捕を免れるために警察官を傷害するかも知れないという**予見可能性**はあったものと考えられる。一連の行為は強盗と別個独立の行為ではないから，Aは強盗致死についての責任を負わなければならない。

4 関連判例──最決昭34・5・22刑集13巻5号801頁

タクシー運転手を脅迫してタクシー料金を免れた後そのタクシーに乗って約6キロ離れた交番前まで行ったところタクシー運転手と争いになり傷害を与えたという事案について，「時間的にも，場所的にも，また被害者が同一である点及び犯行の意図から見て，新たな決意に基づく強盗とは別個独立の行為であるとはいい難い」として，強盗傷人罪が認められた。

〔参考文献〕
　刑法判例百選Ⅰ総論［第4版］158頁［丸山雅夫］
　前田雅英『最新重要判例250刑法［第3版］』86頁

No. 78　承継的共犯①

〈CASE〉　日頃より，Aの店の悪口雑言を言っていたBに憤慨したAは，Bを自営のスナックに連行し，顔面を殴打するなどの暴行を加え，さらにビール瓶でBの顔面，頭部を殴打した。一連の暴行により，Bは頭部に傷害を負った。そこにAに金を貸しているCが現れ，Aの説明から事情を察知し，Aの暴行によりBが負傷したのを知った上で，これに共同して加担する意思で，Bの顎を2～3回殴った。さらに，AもBの顔面を手拳で1回殴打した。Bの負傷の程度は変わらなかった。Cの罪責はどうなるか。

1　問題のありか

承継的共犯とは，先行行為者が，実行行為の一部をすでに終了した後，後行行為者が加担する形態の共犯である。残りの実行行為を先行行為者と後行行為者が，共同実行の意思の下で共に実行する**承継的共同正犯**と，加担の意思で関与する**承継的幇助**に分けることができる。CASEの場合は，共同して加担する意思であるから承継的共同正犯が成立することになる。問題は，Cの加担時期である。つまり，CはAの傷害行為の一部が終了した後に加担したのか，傷害罪が既遂となった後に加担したのかという点である。なお，傷害の結果がAの暴行であることが明らかであれば，207条の同時傷害の特例の適用はない。

2　論点の検討

共犯理論の基本的な対立に基づいて考察すると，犯罪共同説では，共同正犯者は同一の犯罪を共同して行うのであるから，承継的共犯の場合も関与者はすべて同一の犯罪について責任を負うことになるとする（積極説）。一方，行為共同説では，異なった犯罪行為間であっても共犯が成立するのであるから，後行行為者は自己の行為の範囲内で責任を負うことになる（消極説）としている。ただ，今日では，承継的共犯が犯罪共同説の当然の帰結とは考えられていない。

これらの説に対し，後行行為者が，先行行為者の行為・結果を自己の犯罪遂行の手段として積極的に利用する意思の下に加担した場合に，承継的共犯を認

める有力説がある（因果的共犯論，判例の立場）。この説に対し，共犯の因果性という観点からしても，関与前の事象について責任を問うことは困難であるとか，結果の承継は認められても行為の承継は認められないとする批判がある。

　CASE について検討してみると，1個の暴行が1個の犯罪を構成するとすれば，傷害結果を生じたAの暴行は既に終了しており，Cが加担した後の暴行により傷害の結果が生じたわけではない。また，Aが既に発生させ終わった傷害結果を，Cが利用したことにより発生させた結果は暴行の域に止まるものである。それゆえ，たとえ，有力説にもとづいたとしても傷害罪の承継的共同正犯は成立しないことになろう。

3　関連判例——大阪高判昭62・7・10高刑40巻3号720頁

　諸般の事情からDに憤慨したEは，他の者と共謀の上，Dの居室や細事務所へ連行するタクシー内でDの顔面を殴打，さらに事務所内において，木刀やガラス製灰皿でその顔面，頭部を殴打する等の暴行を加え，これら一連の暴行により傷害を生じさせた。そこにFが現れ，顔面から血を流しているDの姿や居合わせたGの説明などから，いち早く事態の成行きを察知し，E等がDに対し暴行を加えて負傷させた事実を認識・認容しながら，自らもこれに共同して加担する意思で，Dの顎を手で2，3回突き上げる暴行を加え，その後さらに，HもDの顔面を1回手拳で殴打した。判決は，Fに対しては，暴行罪の共同正犯を認めた。

　「いわゆる承継的共同正犯が成立するのは，後行者において，先行者の行為及びこれによって生じた結果を認識・認容するに止まらず，これを自己の犯罪遂行の手段として積極的に利用する意思のもとに，実体法上の一罪を構成する先行者の犯罪に途中から，共謀加担し，右行為等を現にそのような手段として利用した場合に限られると解するのが相当である……。先行者が遂行中の一連の暴行に，後行者がやはり暴行の故意をもって途中から共謀加担したような場合には，1個の暴行行為がもともと1個の犯罪を構成するもので，後行者は1個の暴行そのものに加担するのではない上に，後行者には，被害者に暴行を加えること以外の目的はないのであるから，後行者が先行者の行為等を認識・認容していても，他に特段の事情のない限り，先行者の暴行を，自己の犯罪遂行の手段として積極的に利用したものと認めることができ」ない。

第6章　正犯と共犯

| No. 79 | 承継的共犯② |

〈CASE〉　A，Bは，Cから金を脅し取ろうと共謀し，Cに暴行・脅迫を加え，金を要求し，Cを畏怖させ，後は，金を取るだけとなっていた。ところが，Cは金の持ち合わせがなかった。そこへ，Dが行きあわせた。Dは，事の成り行きを知りながら，A，Bから指示され，Cを伴って銀行へ行き，Cから10万円を受け取った。Cは恐喝の手段としての暴行により傷害を負っていた。Dの罪責はどうなるか。

1　問題のありか

　恐喝罪（249条）においては，恐喝の手段としての暴行により傷害の結果が生じた場合，恐喝と傷害の結果とは別個に評価されるので，別罪が成立し，恐喝罪と傷害罪の観念的競合（54条）となる（最判昭23・7・29刑集2巻9号1062頁）。
　承継的共犯を考える上で，恐喝の手段としての暴行により傷害の結果を生じさせたA，Bの恐喝行為が既に終了した後に，すべての事情を知った上でDが加担した場合，別罪として既遂となった傷害罪についても責任を負うのかが，まず問題となる。次に，金の受け取りだけに加担する行為は，**承継的共同正犯**となるか，**承継的従犯**となるのかが問題となる。

2　論点の検討

　承継的共犯について，後行行為者の行為が，関与以前の行為について因果性を持つことはあり得ない以上，後行行為者は，関与後の行為・結果についてのみ責任を負うと考えられるようになってきている。たとえば，強盗致傷罪について，判例には一罪であることを理由に強盗致傷罪の共同正犯を認めるもの（東京高判昭57・7・13判時1082号141頁），逆に，強盗罪の範囲で共同正犯の成立を認めたものもある（福岡地判昭40・2・24下刑集7巻2号227頁）。**CASE**の場合は，実質的に二罪が成立するのであるから，Dの加担後の行為により新たな傷害が生じない限り，Dは傷害の責任を負う必要はないであろう。
　次に，恐喝罪が成立するためには，恐喝→畏怖→財産的処分行為→財物・財

産上の利益の取得といった一連の構成要件要素が，主観的には故意により包摂され，客観的には因果的連鎖に立つことが必要である。では，どの時点から後行行為者が加担すれば，承継的共同正犯は成立するのであろうか。先行行為者の行為を自己の犯罪の手段として自己の犯罪行為に取り入れ実行行為を行った後行行為者は共同正犯となるとすれば，どの時点から加担しても共同正犯が成立することになろう。しかし，後行行為者の行為が脅迫行為に関与したと評価しうる場合に限り，恐喝罪の成立を認めるに止めるべきであろう。

他方，先行行為者の恐喝行為の終了後に，脅迫行為には一切関与することなく財物の授受だけを手伝う場合には，**CASE** におけるＤのような後行行為者は正犯の意思を有していたとは言い難く，承継的共同正犯は成立せず，恐喝罪の承継的共犯（幇助犯）が成立することになる。

3　関連判例──横浜地判昭56・7・17判時1011号142頁

Ｅ，Ｆらは，Ｇから金員を喝取しようと共謀し，Ｇに対して暴行・脅迫を加えて金員を要求し同人を畏怖させていたところへ，行為のほとんど大部分かつ重要部分が終了していたものの，その全部が終了しないうちに，Ｈが上記現場に行きあわせ，その事情を知りながらＥらから金員を取りに行くように指示されて承諾し，自らは暴行を加えることなくＧを同行のうえ銀行の駐車場でＦから５万円を受け取った。判決は，Ｈに恐喝罪の幇助罪を認めた。

＊ 「承継的共同正犯と，承継的従犯とでは，……後行行為者が行う行為が残りの実行行為を分担するものである場合が共同正犯，実行行為そのものを行うのではなくそれ以外の行為をもって実行行為を容易にする場合が幇助犯とされるにすぎず，……その責任の及ぶ犯罪の範囲については異なった取扱をする実質的理由はない。……事後に犯行に加担した者に，それ以前の先行行為者の行為についてまで責任を負担させることができる理由は，先行行為者の行為及び生じさせた結果・状態を単に認識・認容したというにとどまらず，これを自己の犯行の手段として積極的に利用すべく自己の犯罪行為の内容に取り入れて，残りの実行行為を他の共犯者と分担して行うことにある。……先行行為を認識・認容し金員受領行為に加担しているので，……恐喝罪の実現に協力したと評価できるが，傷害の結果を生じさせることや拡大につながるような暴行等の寄与行為は何らしていないし，恐喝の正犯意思を有していたとまでは認めがたいから，恐喝幇助犯の限度で認定する」。

No. 80 　共同正犯と過剰防衛

> 〈CASE〉　AはB，C，Dと夜間路上で雑談をしていたところ，通りかかったEが因縁をつけ，Dに暴行を加え，襟元を締め上げ，道路反対側の公園入り口方向へ引きずっていった。Aらは，追いかけ，Eに暴行を加え，Dを解放した。Eはなお挑発・応戦の態度をとりながら公園内へ入ったが，Aらは，一団となってEを追いかけ，Cの制止を振り切り，Bが顔面を殴打したところ，Eは転倒し花壇の縁石に頭部をぶつけ傷害を負った。Aの罪責はどうなるか。

1　問題のありか

　正当防衛は，急迫・不正な侵害に対して認められる。**CASE**の場合，Dを救出するまでは急迫な侵害があったといえよう。その後のEの挑発・応戦の態度が急迫な侵害であるか否かの判断と，Dの救出行為とEへの**追撃行為**が一連の行為なのか，別の行為として評価すべきなのかという問題がある。

2　論点の検討

　正当防衛においては，他人のための正当防衛も認められるのであるから，共同して防衛行為を行うこともありうる。正当防衛が成立するためには，侵害が差し迫っていることが必要である。D救出後のEの挑発・応戦の態度に，急迫性が認められるとすれば，Eを追撃する行為は，正当防衛の範囲内である。さらに，これらを，一連一体のものと解すると，**防衛の程度**を超える反撃が行われているので，過剰防衛ということなる。共同正犯からの離脱について，判例は，実行に着手した後においては，その後の犯罪が遂行される恐れを消滅させなければ，犯罪全体に対して共犯から離脱したとはいえないとしている（最判平1・6・26刑集43巻6号567頁）。また，判例は，たとえば強盗致死罪のような結果的加重犯についての強盗の機会に惹き起こされた死亡結果については，共同正犯者全員に責任を負わせる傾向にある（最判昭26・3・27刑集5巻4号686頁）。判例のこのような態度に従えば，**CASE**の場合も，Aも他の行為者の過剰防衛

部分の責任を負うことになろう。

　ところで，正当防衛が成立するためには，防衛の程度を超えることは許されない。それゆえ，正当防衛を共同して実行するという意思には，過剰防衛の意思の連絡は含まれていない。つまり，過剰防衛の共同正犯というためには，正当防衛の意思の連絡以外に，防衛の程度を超えて反撃行為を行うという意思の連絡が必要となる。B以外には防衛の程度を超える攻撃を加える意思はなく，他者と程度を超えた攻撃の意思の連絡があったとすることもできないから，過剰防衛の共同正犯は成立しないとする見解もある。

　D救出により侵害は終了し，同時に，正当防衛の共同意思もそこで終了したものと捉えると，Eの追撃・暴行には新たな共謀が必要となる。そのような共謀がある場合には，全体を一連の行為として考察し，**防衛行為の相当性**を判断する見解によっても，Aには暴行の共謀の意思がないので不可罰となる。

3　関連判例──最判平6・12・6刑集48巻8号509頁

　Fは，Gら数名と歩道上で雑談していたところ，Hと口論となり，HがIに乱暴を始めたため制止したが，HはIの髪をつかんで，向かい側の駐車場入口までIを引っ張っていった。Fらが追いかけてHに暴行を加えてIの髪から手を放させた。HはFらに応戦する気勢を示しながら，駐車場奥へと移動した。Fら4名もほぼ一団となってHを駐車場奥へ追いつめる格好で追っていった。その間，駐車場中央でGが，応戦の態度を崩さないHに手拳で殴りかかろうとしたが，Iがこれを制止した。さらに駐車場奥でGが制止を振り切ってHの顔面を手拳で殴打し，そのためHは転倒してコンクリート床に頭部をぶつけ，加療約7か月半を要する傷害を負った。判決は，Fを無罪とした。

＊　「相手方の侵害に対し，複数人が共同して防衛行為としての暴行に及び，相手方からの侵害が終了した後に，なおも一部の者が暴行を続けた場合において，後の暴行を加えていない者について正当防衛の成否を検討するに当たっては，侵害現在時と侵害終了後とに分けて考察するのが相当であり，侵害現在時における暴行が正当防衛と認められる場合には，侵害終了後の暴行については，侵害現在時における防衛行為としての暴行の共同意思から離脱したかどうかではなく，新たに共謀が成立したかどうかを検討すべきであって，共謀の成立が認められるときに初めて，侵害現在時及び侵害終了後の一連の行為を全体として考察し，防衛行為としての相当性を検討すべきである」。

第6章　正犯と共犯

III　教唆犯・従犯

No. 81　不作為による幇助

〈CASE〉　借用書の隠滅を依頼されたA，Bは，高利貸しのCを車中に監禁し，暴行・脅迫を加え，借用書の所在を追求したが，Cは明らかにしなかった。Bが憤激し，Cを殺害すると言い出したが，Aは再三思い止まらせた。Cを山林に連れ込んだ後，Bから，脅かすための道具を車中から持ってくることを依頼されたAは，自分がいない間にBがCを殺害するであろうことを予測・認容しながら，そばを離れた。その間にBがCを殺害した。Aの罪責はどうなるか。

1　問題のありか

不真正不作為犯とは，構成要件的行為が作為の形式で定められている犯罪を不作為によって実現する犯罪である。**不真正不作為犯**が成立するためには，行為者に，一定の構成要件的結果の発生を防止すべき法律上の**作為義務**が存在することが必要とされる。**CASE**のような場合に，AはBの殺人罪を防止すべき義務を有しているか否かが問題となる。さらに不作為による加担が，共同正犯なのか幇助犯なのかという問題が生ずる。

2　論点の検討

不作為犯における作為義務のある者とは，社会生活上被害法益と特別な関係にあるため構成要件的結果の発生を支配しうる者のことである（保障人的地位）。その作為義務の根拠が，自己の行った先行行為に基づく場合，その先行行為が違法であるか否かは問題とならないと解され，通説・判例によれば，他人の犯行行為を阻止し，結果の発生を防止すべき義務を有する者が，その義務に反して，正犯の犯罪行為を阻止することなく犯罪の遂行を容易にした場合，**不作為による幇助**が成立すると解されている。

正犯の犯罪行為を阻止することが作為義務だとするならば，溺れかけている

子を親が救助しない場合に不作為の殺人罪が成立することと比較すると，正犯が成立しない根拠が明らかにされているとはいい難いことになる。この点に関し，不作為犯における正犯と共犯の区別については，親が溺れている子供を救助しないというような結果発生を直接回避すべき法益保護義務に違反した場合は正犯，子が他人を殺害するのを阻止しないような犯罪防止義務に違反する場合は幇助犯になるとする説もある。この説では，区別された両義務は法益侵害を防止する義務にほかならず，区別の基準が明確とは言い難い。結局，不作為が作為と同程度に法益侵害の危険性を生じさせたか否かという，**不作為犯の処罰根拠**から区別せざるを得ないであろう。

CASEの場合，確かに，BとBの行為を阻止しなかったAとの間に共謀ないし，共同の意思は存在しないのであり，作為と同程度の法益侵害の危険性があったとはいえず，Aは殺人罪（199条）の幇助犯となる。

3　関連判例──大阪高判昭62・10・2判タ675号246頁

Dは，倒産した会社からの債権回収を友人から頼まれ，E・Fらと共謀して同社社長のGを自動車内に監禁し，暴行・脅迫を加え，隠し財産の所在を追求したが，Gは明らかにしなかった。これに憤慨したEがGを殺すと言い出したため，Dは，Eに思い止まらせ，もし殺害しようとしたときはEを制止しようと考え，E等と行動をともにした。Dは，Gを追求するというEに協力し，山林内に連れ込んだ。DはEからGを脅かすための道具を車から持ってくるよう依頼され，Dは，自己の不在中EがGを殺害することを予測・認識しながら，その場を離れ10分程度暇をつぶした。その間にEはGを殺害した。

＊　「被告人は，Eからスコップやつるはしの持参を依頼されても，これに応ずることなく同席を続け，EによるG殺害を阻止すべき義務を有していたと解すべきである。前記……記載の意図（予測・認容）のもとに，約10分間その場を離れることにより，EのG殺害を容易ならしめたものであるから，不作為による殺人幇助罪の刑責を免れないというべきである。」「被告人に課せられる前示のような作為義務の根拠及び性質，並びに被告人の意図が前示のようにGの殺害を積極的に意欲したものではなく，単に，これを予測し認容していたに止まるものであること等諸般の事情を総合して考察すると，被告人の行為を，作為によって人を殺害した場合と等価値なものとは評価し難く，これを不作為による殺人罪（正犯）に問擬するのは，相当でないというべきである」。

第6章　正犯と共犯

No. 82　幇助の因果関係

〈CASE〉　Aは，Bから数回にわたり出資を得ていたが，返済を免れるため，BをC所有のビルの地下室で拳銃で殺害することを計画した。後に計画を変更し，B所有の自動車でAが同乗して連れ出し，車中で殺害した。Cは，(1)最初の計画段階で地下室から拳銃の発射音がもれないように目張りなどをした。計画変更後，Aに同行を求められると，(2)AがBを殺害するのではと察知し，Aの殺人の実行を助けることになるという認識の下に，Cの自動車でAに同行し，AがBを殺害した後，Aと共謀して，Bの死体を埋めた。Cの罪責はどうなるか。

1　問題のありか

　CASEにおいて，Cの(2)の行為が，Aを精神的に力づけ，殺人の意図を維持ないし強化することに役立っているのであるから，殺人罪の幇助犯が成立することに問題はない。他方，Cの(1)の行為は，殺人罪の結果に直接役立つ行為ではなかったことになる。このCの(1)の行為がAの殺人罪の幇助行為となるか否かが問題となる。

2　判決要旨——東京高判平2・2・21判タ733号232頁

　Aは，Bから，宝石等を保管していたが，Bを拳銃で殺害し返還を免れようと企て，当初，Cのビルの地下室で殺害を予定したが，その後計画を変更し，Bを商談名目でBの乗用車に同乗させ，同車内でBを拳銃で殺害し保管中の宝石類の返還を免れるとともに，付近の山林内に死体を埋没・遺棄するに先立ち，Bの携帯していた現金約40万円を抜き取った。

　Cは，B殺害場所として地下室が予定されていた段階で，拳銃の音が外部に漏れないよう目張りなどの行為をし，Aの計画変更後，Cは，Aから暗に同行を求められるやAの意図を察知し，Aに同行することは同人の強盗殺人の実行を助けることになるのではないかと認識しながら，Aの乗っている乗用車に追従して殺害現場に至り，Aなどと共謀してBの死体を埋め遺棄した。

＊「Cの地下室における目張り等の行為がAの現実の強盗殺人の実行行為と

の関係では全く役に立たなかったことは、原判決も認めているとおりであるが、Ｃの地下室における目張り等の行為がＡの現実の強盗殺人の実行行為を幇助したといい得るには、Ｃの行為が、それ自体、Ａを精神的に力づけ、その強盗殺人の意図を維持ないし強化することに役立ったことを要すると解さなければならない。ＡがＣに対し地下室の目張り等の行為を指示し、Ｃがこれを承諾し、Ｃの協力ぶりがＡの意を強くさせたという証拠はなく、また、Ｃが、地下室の目張り等の行為をしたことを、Ａに報告したり、Ａが知ることもなかったのであるから、Ｃの目張り等の行為がそれ自体Ａを精神的に力づけ、その強盗殺人の意図を維持ないし強化することに役立ったと認めることはできない」。

3　論点の検討

　幇助行為と正犯行為あるいは結果との間に**因果関係**が必要か否かに関しては、学説が分かれている。**幇助犯**を抽象的危険犯と解する不要説は、幇助犯が成立するためには、正犯行為を容易にする可能性のある行為を行えば足りるとしている。つまり、幇助者の行為が、現実に正犯行為を容易にしたか、結果との間に因果関係があるか否かは、問題ではないと解するのである。幇助行為と正犯の行為との間の因果関係が不要であることを徹底すれば、共犯独立性説を採らざるを得なくなる。

　幇助行為と正犯の行為との間の因果関係を必要とする立場であっても、どのような因果関係を必要とするかについては、見解が分かれる。①幇助行為と既遂結果との間に因果関係が必要であるとする見解は、幇助犯の成立が最も厳格になる。たとえば、幇助行為がなくても正犯者が犯罪を実行し得た場合、共犯は成立しないことになる。これに対し、②幇助行為と正犯の実行行為との間に因果関係があればよく、既遂結果との因果関係は不要であるとする見解がある。この見解によれば、幇助犯は、正犯が実行行為に出ることを強化促進することであると解される。たとえば、幇助者が渡した合鍵を使用しなくても屋内に進入し窃盗を実行し得た場合、合鍵を渡した行為と窃盗の実行行為との間に因果関係はないが、正犯の行為を心理的に強化促進しているので幇助犯が成立することになる。

　②説に従えば、Ｃの(1)の行為はＡの殺人行為の強化促進といえ、Ｃは殺人罪（199条）の幇助犯となる。他に、Ｃには、死体遺棄罪（190条）の共同正犯（60条）が成立し、両者は併合罪（45条）となる。

第6章　正犯と共犯

No. 83　間接幇助

〈CASE〉　Aは，得意先のBに頼まれ，BまたはBの得意先の者が不特定，または多数人に見せることを知りながら，Bに自己所有のわいせつな裏ビデオを貸した。Bは，この裏ビデオをCに貸し，Cはこのビデオを自宅で友人数人に閲覧させた。Aの罪責はどうなるか。

1　問題のありか

　一般的に幇助犯を幇助する場合を「間接幇助」と呼んでいる。しかし，Aが強盗を決意しているDに拳銃を渡そうとBに届けさせた場合，間接正犯の呼称に合わせれば，これも「間接幇助」と呼ぶことになる。後者は正犯を幇助した者にほかならず，前者とは異なるものといえる。混同を避けるために，後者を「**間接幇助**」，前者を「**幇助の幇助**」あるいは「順次幇助」と表現すべきである。

　CASE の場合，まず，「幇助の幇助」なのか，「間接幇助」なのかを検討する必要がある。61条2項は，教唆者を教唆した者についても教唆犯とすると規定する。同条1項との関係から同条2項は例外を認めたものと解せられる。これに対し，62条2項は，従犯を教唆した者には，従犯の刑を科すと規定するが，幇助の幇助に関しては規定がないので，その解決が問題となる。

2　論点の検討

　幇助の幇助に関し，学説は肯定説，否定説に分かれる。共犯独立性説に立てば，幇助行為は正犯から独立して処罰されるのであるから，幇助の幇助も可罰的であるとすることができる。また，幇助犯は修正された構成要件であり，その限りで「正犯」であるから，修正された構成要件の正犯を幇助した者である幇助の幇助も幇助であるとする見解もある。さらに，判例は「正犯の実行行為を容易にする行為であるならば幇助の幇助も処罰しうる」としている（大判大14・2・20刑集4巻73頁）。これらの見解に従うならば，幇助行為の連鎖はどこまでも処罰の対象となろう。そこで，肯定説も，幇助の幇助と正犯との関係は必ずしも明確ではないから，安易に幇助の幇助を認めるべきではないとしている。

否定説には，共犯従属性説に立ち，幇助行為は実行行為ではないから，幇助行為を幇助しても共犯の成立は認められないとする見解や，62条が「正犯」を幇助したものを従犯とすると規定し，幇助の幇助の規定を置いていないことは，「幇助の幇助」を認めない趣旨であるとする見解もある。

　62条1項は，正犯を幇助した者は従犯とし，同条2項が，従犯を教唆した者は従犯とするとの規定は，**罪刑法定主義**の見地から幇助犯の成立範囲を限定するものと解すべきであろう。しかし，幇助の行為は，正犯の行為を容易にするものであればよく，その方法が直接的であるか，間接的であるかを区別する必要はない。**CASE**の場合，Aの行為がCの正犯行為に対する幇助行為としての類型性・定型性を有し，正犯行為との間に相当因果関係が認められ，Aは自らの行為により正犯行為が容易になるという認識があるので，Aには，間接的方法によるわいせつ物陳列罪（175条）の幇助犯が成立することになる。

3　関連判例——最判昭44・7・17刑集23巻8号1061頁

　Dは，得意先のEの依頼により，EまたはEの得意先の者がそれぞれ不特定多数人に観覧せしめることの情を知りながら，Eにわいせつ8ミリ映画フィルム10巻を貸与した。その後，Eは自己の得意先のFに上記10巻を貸与した。Fは某日午後9時ころより11時半ころまでの間，G方2階において8ミリ映写機を使用して，同フィルム全部を部屋の襖または白布に映写し，これをFほか十数名に対し観覧させた。

＊　「Dが，Eまたはその得意先の者において不特定の多数人に観覧せしめるであろうことを知りながら，本件の猥せつ映画フィルムを右Eに貸与し，Eからその得意先であるFに右フィルムが貸与され，Fにおいてこれを映写し十数名の者に観覧させて公然陳列するに至ったという本件事案につき，Dは正犯たるFの犯行を間接に幇助したものとして，従犯の成立を認めた原判決の判断は相当である」。

4　設　　問

　悪徳金融業者Aが客を騙し高利を取ることを知りながら，広告入りティッシュペーパーの配布を依頼された広告業Bは，印刷業者Cに広告の印刷を依頼した。事情を知っているCは印刷した広告をBに渡した。Bが配布した広告で客となった数名からAは年利1000％の利息を取り立てた。Cの罪責はどうなるか。

No. 84　片面的従犯

〈CASE〉　Aの兄BとCは拳銃を日本に密輸入しようと企て，フィリピンで木製テーブル内に拳銃と実包を隠し，日本国内のD宛に発送したが，日本で税関職員に発見され目的を遂げなかった。
　一方，Aは，営利の目的で，Bから頼まれ，テーブル内に拳銃と実包が隠されているかもしれない，日本国内に密輸入して売りさばくのかもしれないと考えながら，Eと共に，拳銃と実包が隠されたテーブルをフィリピンからの発送の手続きを行った。Aの罪責はどうか。

1　問題のありか

　共同正犯や狭義の共犯が成立するか否かを明らかにする場合，行為者相互間の**意思の連絡**とその内容の一致の程度が問題となる。共同正犯（60条）が成立するためには，共犯者相互の意思の連絡が重要な要素となるが，教唆や，幇助の場合には，正犯が，教唆者や幇助者の存在に気づかずに行為する場合もある。CASEの場合，AとB，Cとの間に意思の連絡があったのかを考察しなければならないことになる。

2　判決要旨──東京地判昭63・7・27判時1300号153頁

＊　「Aが拳銃等の調達，隠匿等の実質的行為に関与したという証拠はなく，単に，貨物輸出入運送業者での本件テーブルの発送手続にかかわったのみであり，右発送手続自体もE名義で行われているのであって，Aの本件への関与は，重要な部分に関するものではあるが，特にAでなくともなし得る形式的・機械的行為を行ったにすぎない。加えて，Aが，発送手続後，来日の報酬として告げられた額も500ドルで，拳銃等の代金総額375万円と比較するとごく一部にすぎないのであって，これらの諸点を併せ考えると，判示拳銃・実包の密輸入行為に際し，これにつきAがBらと共謀していたと認めるには未だ証明十分とは言い難く，むしろ，Aは，BやCらに利用され，本件テーブルの形式的な発送手続を行おうとしたが，右手続中Bらの密輸入行為につ

き未必的な認識を持つに至ったものの，実兄からの依頼ということもあって，これを幇助する意思のもとに，そのまま右発送手続を完了させたものと認められる。したがって，Aには，判示のとおり，幇助犯を認めるのが相当である」。

3 論点の検討

いわゆる**片面的幇助**とは，幇助者は幇助の故意にもとづき幇助行為を行ったが，被幇助者はその幇助行為があることを知らずに犯行を実行することをいう。通常は，このように幇助者と被幇助者の間に意思の連絡がない場合である。その限りでは，正犯に心理的因果関係は存在しないことになる。

共同意思主体説によれば，共犯現象（共同正犯，教唆犯，幇助犯）においては関与者の間で共同意思主体が形成され，共犯の行為はこの主体の行為として捉えられる。関与者相互の意思連絡を欠くと，この共同意思主体は形成されないのであるから，片面的幇助は認められないことになる。

これに対し，通説は，たとえば，正犯の実行行為を容易にさせることは，正犯に幇助を受けているという意識がなくても可能であり，62条も，幇助者と被幇助者の間に意思の連絡のあることを要求していないのであるから，片面的幇助犯が認められるとしている。しかし，幇助者には正犯を幇助しているという認識と，幇助行為と発生結果との間に因果関係が存在しなければならないであろう。つまり，心理的にも，物理的にも因果関係を欠く場合には幇助犯は成立しないことになる。

CASEの場合，密輸入という行為に発送という行為も含まれるとすると，AとB，Cとの間に意思の連絡がなく，BがAに発送を頼んでいるのであるから，Aを道具とする**間接正犯**である。道具であるAが，拳銃等の密輸の可能性を認識・認容しながら発送手続を行ったのであるから，Aは，**故意ある道具**ということになろう。Aは，自ら実行行為を行う者であるが，もっぱら他人の従犯として行為するものであり，「故意ある幇助的道具」ということになる。それゆえ，Aには，幇助犯が成立することになる。

4 設 問

スーパーマーケットの警備員Dは，日ごろから哀れに思っていた無職で高齢者のEが万引きの素振りを見せたので，防犯カメラの前に立ち死角を作り，Eの万引き行為が撮影されないようにしたうえ，万引きを見逃した。Dの罪責はどうなるか。

第6章　正犯と共犯

Ⅳ　共犯の諸問題

No. 85　身分の意義

〈CASE〉　A女は、夫がB女と情を通じていたのを知り、嫉妬のあまりB女を呼び出して夫との関係を糾問するとともに、自分の眼前で男にB女を強姦させて恥辱を与えようと考えた。そこでA女は暴力団員C男とともにB女を某飲食店に連行し、同店2階において夫との関係を詰問した上、C男とその場に来あわせた暴力団員D男の両名に対し、B女を姦淫するよう勧めた。C男・D男がこれに応じたので、A女・C男・D男の3名は共謀の上B女を強姦することを決意した。まずA女がB女をその場に押し倒し、C男とともにB女の身体を押さえつけてその反抗を抑圧し、D男が姦淫しようとしたが目的を遂げず、次いでC男がB女を強いて姦淫した。A女の罪責はどうなるか。

1　問題のありか

強姦罪は主体が男性に限定されている**真正身分犯**であり、女性が単独で強姦罪の主体となることはできないと解されている。それでは、CASEのように男性と女性が共謀し、かつ女性が被害者の身体を押えつけるなどして男性による強姦を容易にした場合、この女性も強姦罪の共同正犯となるかが問題となる。そしてこのことは、65条1項の共犯には共同正犯を含むのかの問題ともなるのである。ただ、この議論の前提として、強姦罪は**身分犯**か、そもそも身分とは何かが論じられなければならないだろう。

2　決定要旨──最決昭40・3・30刑集19巻2号125頁

＊　「強姦罪は、その行為の主体が男性に限られるから、刑法65条1項にいわゆる犯人の身分に因り構成すべき犯罪に該当するものであるが、身分のない者も、身分のある者の行為を利用することによって、強姦罪の保護法益を侵害することができるから、身分のない者が、身分のある者と共謀して、その

犯罪行為に加功すれば，同法65条1項により，強姦罪の共同正犯が成立すると解すべきである」。

3 論点の検討

身分とは「男女の性別，内外国人の別，親族の関係，公務員たるの資格のような関係のみに限らず，総て一定の犯罪行為に関する犯人の人的関係である特殊の地位又は状態を指称する」とされている（最判昭27・9・19刑集6巻8号1083頁）。

ところで，強姦罪は身分犯なのであろうか。男性が姦淫行為をしないかぎり本罪の成立はなく，女性単独では強姦罪の保護法益を侵害しえないから，強姦罪は身分犯であると解すべきである。

それでは，**CASE** のように，女性が男性と共謀しさらに被害者の女性の身体を押えつけるなど男性による姦淫を容易にしたような場合，女性は強姦罪の共同正犯となりうるであろうか。この点については否定説と肯定説とが対立している。

否定説は，身分犯における実行行為概念を厳格にとらえ，とくに真正身分犯における実行行為は身分のある者のみが行いうる，つまり身分を欠く者の行為は身分犯の実行行為とはいえないから，真正身分犯の正犯とはなりえないとする。したがって，65条1項の共犯は共同正犯を含まず，狭義の共犯に限られることになる。

これに対して肯定説は，実行行為概念を緩やかにとらえ，非身分者も事実上実行行為を分担することは可能であるから，非身分者にも一部行為の全部責任を認める共同正犯を成立させることは可能であるとする。したがって，65条1項の共犯には共同正犯も含まれることになる。

思うに，共同正犯は単独正犯とは異なるから，単独正犯になれない者は共同正犯にもなれないと考えるのは妥当ではないだろう。本決定もいうように，非身分者も身分者の行為を利用することにより**保護法益**を侵害することはできる。それに，肯定説もいうように，非身分者であっても事実上実行行為の分担は可能である。たとえば，強姦罪においては，非身分者である女性も，被害女性の身体を押えつけるなどの暴行・脅迫を加えることはできる。これなどはまさに一部行為の全部責任を認めることができる事例であろう。したがって，**CASE** におけるA女には，強姦罪の共同正犯が成立するものと思われる。

No.86 共犯と身分

〈CASE〉 S村村長で同村新制中学校建設工事委員会委員長でもあるAは、同村助役で同工事委員会副委員長でもあるBと、さらに当時同村収入役として出納事務をつかさどり、かたわら前示委員会の委託を受け中学校建設資金の寄付金の受領、保管その他の会計事務を管掌していたCと共謀し、酒食等の買い入れ代金をCの業務上保管にかかる前示寄付金のなかから支払い、もってこれを費消横領した。A、B、Cの罪責はどうなるか。

1 問題のありか

Cに253条の業務上横領罪が成立することは問題ないが、業務者でも占有者でもないAとBが、業務上他人の物を占有する者すなわちCの横領行為に関与した場合、AとBはいかなる罪責を負うかが問題となる。この場合65条の1項と2項はどのような関係にあるかが問われよう。

2 判決要旨──最判昭32・11・19刑集11巻12号3073頁

＊ 「挙示の証拠によると、右Cのみが……同村のため右中学校建設資金の寄附金の受領、保管その他の会計事務に従事していたものであって、被告人両名はかかる業務に従事していたことは認められないから、刑法65条1項により同法253条に該当する業務上横領罪の共同正犯として論ずべきものである。しかし、同法253条は横領罪の犯人が業務上物を占有する場合において、とくに重い刑を科することを規定したものであるから、業務上物の占有者たる身分のない被告人両名に対しては同法65条2項により同法252条1項の通常の横領罪の刑を科すべきものである」。

3 論点の検討

65条1項は身分の従属性・連帯性を規定し、2項は身分の独立性・個別性を規定しているため、両者は一見矛盾することを規定しているといわれる。そこで、1項と2項の関係をどのように解すべきかが問題となる。

判例・通説は、1項は**真正身分犯**について規定し、2項は**不真正身分犯**につ

いて規定したものであるとする。ただ有力な少数説は，1項は真正身分犯・不真正身分犯の両者を通じて身分のない者の共犯の成立の問題を規定したものであり，2項は不真正身分犯だけについて科刑の問題を規定したものであるとする。そしてこの説は，非身分者についても身分犯が成立することについて1項で「共犯とする」と表現したのであり，1項で共犯とされた非身分者には2項で「通常の刑を科する」としたと説明する。しかし，65条1項・2項の文言からは，判例・通説のように，1項は真正身分犯について，2項は不真正身分犯についてそれぞれ規定したものとみるのが，文言に忠実な解釈であろう。

　ところで，**CASE**において注意しなければならないのは，業務者であり占有者であるのはCだけであり，AもBも業務者でもなければ占有者でもないということである。そのことを前提として本判旨をみてみよう。判決は，「被告人両名はかかる業務に従事していたことは認められないから，刑法65条1項により同法253条に該当する業務上横領罪の共同正犯として論ずべきものである」とする。これは最高裁が，業務上横領罪は業務上の占有者という身分があってはじめて成立する真正身分犯であると考えていたからであろう。さらに，「業務上物の占有者たる身分のない被告人両名に対しては，同法65条2項により同法252条1項の通常の横領罪の刑を科すべきものである」としているのは，占有者ではあっても業務者ではない者が業務上横領罪に加功した場合との均衡を保つためと考えられる。

　しかし，252条1項の横領罪と253条の業務上横領罪をみた場合，真正身分犯は252条1項の横領罪の方であろう。横領罪の成否は他人の物を占有しているか否かによって決まるからである。つまり，他人の物の占有者であってはじめて横領罪が成立するのである。そして，業務上横領罪は横領罪に業務者という身分が加わることによって刑が加重される不真正身分犯とみるべきである。だとするならば，A，B，Cはまず65条1項により252条1項の横領罪の共同正犯となり，次いで業務者について65条2項が適用されて業務上横領罪が成立することになる。したがって，A，Bには横領罪が，Cには業務上横領罪がそれぞれ成立することになろう。

〔参考文献〕
　判例講義刑法Ⅰ総論146頁〔十河太朗〕
　基本判例5刑法総論128頁

第6章　正犯と共犯

No. 87　共犯と錯誤①

〈CASE〉　AはBから金銭の入手方について相談をもちかけられ，自分の知っているC家の構造や付近の地形を図解して示し，C方に侵入して窃盗するよう教唆した。Bはこの教唆によって強盗することを決意し，Dら3名と共謀して日本刀などを携えて強盗目的でC方の奥手口から屋内に侵入したが，母屋に侵入する方法を発見できなかったので，C方侵入を断念した。しかし，BらはC家の隣であるE電気商会に押し入ることを謀議し，Bは付近の屋外で見張りをし，Dら3名は屋内に侵入し，日本刀などでEを脅迫して金品を強取した。Aの罪責はどうなるか。

1　問題のありか

　CASEにおいて，問題は，AがC家への住居侵入窃盗を懇切丁寧に教唆したにもかかわらず，被教唆者Bが住居侵入強盗の犯意を生じ，しかもAに教唆された家とは異なる店で強盗を働いたという点にある。つまり，正犯者が教唆者の教唆内容とは異なる構成要件を実現した場合，いわゆる**共犯と錯誤**の問題が出てくるのである。

　CASEにおいて原審はAを住居侵入窃盗の教唆としたが，被告人A側は，BはAの教唆したC家に対する窃盗を実行していない以上，Aに教唆犯は成立しないとして上告した。最高裁は上告を棄却したものの，被告人Aに関する部分については破棄差戻とした。

2　判決要旨——最判昭25・7・11刑集4巻7号1261頁

＊　「犯罪の故意ありとなすには，必ずしも犯人が認識した事実と，現に発生した事実とが，具体的に一致（符合）することを要するものではなく，右両者が犯罪の類型（定型）として規定する範囲において一致（符合）することを以て足るものと解すべきであるから，いやしくも右Bの判示住居侵入強盗の所為が，被告人Aの教唆に基いてなされたものと認められる限り，被告人Aは，住居侵入窃盗の範囲において，右Bの強盗の所為について教唆犯とし

ての責任を負うべきは当然であって，Aの教唆行為において指示した犯罪の被害者と，本犯たるBのなした犯罪の被害者とが異なる一事を以て，直ちにAに判示Bの犯罪について何等の責任なきものと速断することを得ないものと言わなければならない」。しかし，「BのE方における犯行は，被告人Aの教唆に基いたものというよりむしろBは一旦右教唆に基く犯意は障碍の為め放棄したが，たまたま，共犯者3名が強硬に判示E商会に押入ろうと主張したことに動かされて決意を新たにして遂にこれを敢行したものであるとの事実を窺われないでもないのであって，彼是綜合するときは，原判決の趣旨が果して明確に被告人Aの判示教唆行為と，Bの判示所為との間に，因果関係があるものと認定したものであるか否かは頗る疑問である」。

3 論点の検討

Aの教唆行為とB・Dらの強盗行為との間には因果関係が存在するか。「AがBにC家への住居侵入窃盗を教唆しなかったなら，BらによるE電気商会への住居侵入強盗はなかったであろう」ということはできるであろうから，この点で条件関係は存在すると言ってよい。判例は基本的には条件説に立っていると思われるので，判例の立場では，この場合は因果関係が認められることになろう。では相当因果関係説の立場ではどうか。BらがC方での強盗を断念したとしても，CASEの状況ならばE電気商会に押入ることは，経験則上予想されると言いうるだろう。したがって，相当因果関係説においても因果関係は肯定されるように思われる。

次に問題となるのが，Aが住居侵入窃盗を教唆したのに，Bらは住居侵入強盗を行ったことについて，Aには故意が認められるか否かということである。一般には共犯の錯誤も単独犯の錯誤とかわるところはないとされる。判例・通説は法定的符合説の立場に立つが，それによると，行為者（教唆者）の認識と発生した事実（正犯の行為）との間に不一致があり，それが異なる構成要件にまたがるときは，**構成要件が重なり合う限度**において軽い罪の故意が成立するとされている。したがって，窃盗罪と強盗罪とでは，窃盗罪の範囲で構成要件が重なり合うから，CASEではAには住居侵入窃盗の教唆犯が成立することになるものと思われる。

No. 88　共犯と錯誤②

〈CASE〉　暴力団組長A，同組員Bら7名は，組の資金源の1つである風俗営業店についての取締りをめぐり巡査Cとトラブルを起こした。そこでA・Bら7名はCに暴行ないし傷害を加える旨を順次共謀し，Cの勤務する派出所に押しかけた。7名は交互にCに挑戦的な罵声・怒声を浴びせかけたが，これに応答したCの言動に激昂したBは，未必の殺意をもって持参した小刀でCの下腹部を1回突き刺し，Cを失血死させた。A・Bらの罪責はどうなるか。

1　問題のありか

　A・Bら7名はCに対する暴行ないし傷害を共謀していたが，Bが共謀の範囲を超えて殺人を犯した。この場合，B以外の共謀者の罪責が問題となる。つまり，**共同正犯における異なる構成要件間の錯誤**をどのように扱うか，そもそも共同正犯は何を共同にするのかが問われなければならないのである。
　CASEにおける第一審判決は，A・Bら7名の行為は60条，199条に該当するが，B以外の者は傷害もしくは暴行の意思で共謀したのであるから，38条2項により60条，205条1項（当時）の罪で処断すべきであるとし，原審もこれを支持した。これに対しAらは殺意がなかったのであるから，殺人罪が成立するのは疑問であり，暴行罪または傷害罪をもって論ずべきであるとして上告した。

2　決定要旨——最決昭54・4・13刑集33巻3号179頁

＊　「殺人罪と傷害致死罪とは，殺意の有無という主観的な面に差異があるだけで，その余の犯罪構成要件要素はいずれも同一であるから……殺意のなかったAら6名については，殺人罪の共同正犯と傷害致死罪の共同正犯の構成要件が重なり合う限度で軽い傷害致死罪の共同正犯が成立するものと解すべきである。……Aら6名には殺人罪という重い罪の共同正犯の意思はなかったのであるから，Aら6名に殺人罪の共同正犯が成立するいわれはなく，もし犯罪として重い殺人罪の共同正犯が成立し刑のみを暴行罪ないし傷害罪

の結果的加重犯である傷害致死罪の共同正犯の刑で処断するにとどめるとするならば，それは誤りといわなければならない。しかし，前記第一審判決の法令適用は，Ａら６名につき，刑法60条，199条に該当するとはいっているけれども，殺人罪の共同正犯の成立を認めているものではないから，第一審判決の法令適用を維持した原判決に誤りがあるということはできない」。

3　論点の検討

共同正犯は何を共同にするのかについて，従来から**行為共同説**と**犯罪共同説**が対立してきた。行為共同説は犯罪以前の行為――構成要件から離れた行為――を共同して行えば共同正犯は成立し，故意を共同にする必要はないとする説であり，犯罪共同説は特定同一の犯罪を複数人が共同して実行することが必要であり，かつ故意を共同にする必要があるとする説である。

60条は「２人以上共同して犯罪を実行した者は，すべて正犯とする」と規定しているところから，基本的には犯罪共同説を採るべきだと思われる。ただ，殺人と傷害，窃盗と強盗のように，前者では傷害の部分で，後者では窃盗の部分で構成要件的に重なり合う部分がある場合には，その重なり合う限度で実行行為を共同にできるから，その限度で共同正犯を認めることができるとする**部分的犯罪共同説**が最も妥当な見解だということができる。

ところで，部分的犯罪共同説の内部においても，２つの立場が存在する。１つ目は，罪名は共犯者全員に重い罪を認めながら刑罰は故意の有無に応じて個別化するというものである。これによるとCASEの場合，７名全員に殺人罪が成立し，Ｂを除くＡら６名には傷害致死罪の刑が科されることになる。この立場に対しては罪名と科刑が分離するとの批判がなされる。２つ目は，重い罪の故意をもっている者には重い罪の成立を認めると同時に，軽い罪の故意しかない者には罪名についても軽い罪が成立するというものである。CASEの場合，Ｂは殺人罪の共同正犯，Ａら６名は傷害致死罪の共同正犯となろう。

殺人罪と傷害致死罪は人を死亡させる点で一致している。したがって，共犯者が相互に利用補充しあって人を死亡させたのであれば，殺人罪および傷害致死罪という特定の犯罪を共同して実現したといってよいであろう。結局，部分的犯罪共同説の２つ目の見解が妥当だと思われる。

No. 89 不作為の幇助

〈CASE〉 A女は，自分の子C（3歳）を連れてBと内縁関係に入ったが，BはCにせっかんを繰り返すようになり，A女にも暴力を加えることもあった。BがCに対して顔面や頭部に多数回殴打し，転倒させるなどの暴行を加えて死亡させた際，A女は，Bが暴行を開始しようとしたのを認識したのであるから，直ちに暴行を制止する措置を採るべきであり，かつ，これを制止して容易にCを保護することができたのに，何の措置をとることもなく放置した。A女の罪責はどうなるか。

1 問題のありか

Bの行為が傷害致死罪（205条）にあたることには異論はない。

内縁の夫BがCに対してせっかんを加えて死に至らしめた際に，Cの母親であるA女が，Bの行為を何の措置も講じることもなく放置した場合，傷害致死罪の幇助犯（205条，62条1項）にあたるかどうかが問題となる。**不作為の幇助**についての考察・検討が必要となる。幇助犯は，原則として作為犯であり，比較的容易に認められるといったことがあるから，不作為を限定的に捉えないと**罪刑法定主義**に反するおそれが生じることに留意しなければならない。

不作為による幇助犯の成立要件については，以下の3つがあげられる。①正犯者の犯罪を防止すべき作為義務のある者が，②正犯者の犯罪防止が可能であるのに，③一定の作為をせずに正犯者の犯罪実行を容易にした場合，である。そして，以上のことが作為による幇助犯と同視できることが必要となろう。とくに，A女の監視・制止作為によりせっかんの防止といった作為の可能性について検討する必要があろう。

2 判決要旨——札幌高判平12・3・16判時1711号170頁

＊ 「A女の行為は，不作為による幇助犯の成立要件に該当し，A女の作為義務の程度が極めて強度であり，比較的容易なものを含む前記一定の作為によってBのCに対する暴行を阻止することが可能であったことにかんがみると，A

女の行為は，作為による幇助犯の場合と同視できる」。

3 論点の検討

通説・判例は，正犯者の犯罪行為を阻止し，結果の発生を防止すべき義務を有する者がその義務に反して犯罪行為を阻止せず，犯罪の遂行を容易にした場合，不作為による幇助が成立するとする。しかし，この**犯罪阻止義務**の内容は必ずしも明確とはいえない。同内容を正犯の実行行為への加担に従って生じる正犯の犯罪行為阻止義務そのものとする判例（最判昭29・3・2裁判集刑93号59頁）や正犯の侵害行為から法益を保護すべき義務，結果回避義務とする判例（大判昭3・3・9刑集7巻172頁）などがある。

そこで，**CASE** に即して検討してみよう。まず，**CASE** について，①A女は自分（親権者兼監護者）の子C（当時3歳）の生命・身体の安全が害される危険な状況を認識していたのであるから作為義務があったといえよう。次に，②に関しては，A女が具体的状況に応じBを監視ないし制止すればBの犯罪防止は可能であったといえるから同要件を充足する。③については，A女はCの母親の立場よりもBとの内縁関係を優先させたと認定されたのであるから，Bの暴行を容易にしたといえよう。以上のように，A女の行為は，不作為による幇助犯の成立要件に該当する。また，作為義務の点からいっても，同行為は作為による幇助犯と同視できるといえる。よって，A女には，傷害致死幇助罪が成立すると考えるのが妥当である。

4 関連判例──東京高判平11・1・29判時1683号153頁

ゲームセンターの従業員Dは，同僚Eから強盗の計画を明らかにされたが，警察等に通報するなどしなかった不作為につき強盗致傷罪の幇助に問われた事案について，東京高裁は，次のように判示した。「正犯者が一定の犯罪を行おうとしているのを知りながら，それを阻止しなかったという不作為が，幇助行為に当たり幇助犯を構成するというためには，正犯者の犯罪を防止すべき義務が存在することが必要である」。

したがって，従業員につき，従事していた具体的職務との関連においても，従業員としての一般的地位からしても，正犯者の犯罪による被害法益を保護すべき義務ないし正犯者の犯罪実行を直接阻止すべき義務はないとして，不作為の幇助犯の成立は否定されたのである。

第6章　正犯と共犯

No. 90　共犯と中止犯

〈CASE〉　Aは，Bと強盗を共謀してC宅に夜間侵入し，Bは刺身包丁を突きつけ，Aもジャックナイフを持って傍らに立っていた。Cの妻が「自分の家は教員だから金はない」といいながら現金900円を出したが，Aは「自分はそんな金はいらん，俺も困って入ったのだからお前の家も金がないのならばその様な金は取らん……」といい，Bに「帰ろう」といって表へ出た。しかし，Bは，手にした現金900円をいったん蒲団の上に置いたものの，再び手に取りポケットに入れてC宅を出た。帰路，Aは，Bから「900円は俺がもらって来た」といわれ，これを2人の遊興にあてた。Aの罪責はどうなるか。

1　問題のありか

Bは刺身包丁を突きつけ，結局Cから現金を強取したのであるから，強盗既遂罪（236条1項）が成立することには異論はない。問題は，Bと共謀し，C宅に侵入しジャックナイフを持って傍らに立っていたAが，Bに「帰ろう」といって表へ出たことに対して「自己の意思により犯罪を中止した」という**中止犯**を規定した刑法43条但書が適用されるかということである。

すなわち，Aは，強盗既遂罪に問われるBと共同正犯（60条）になるのかということである。なお，ここでの共犯は広義のそれである。

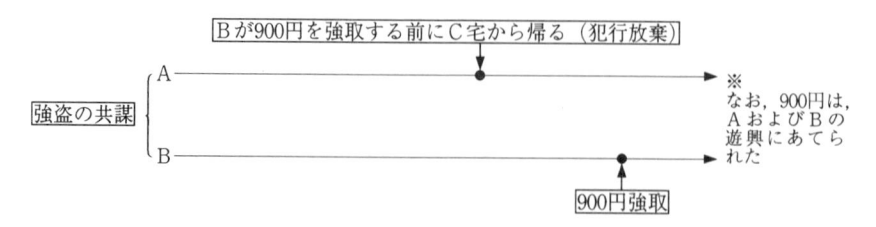

```
           ┌ Bが900円を強取する前にC宅から帰る（犯行放棄）┐
           │ A ─────────────●─────────────── ※なお，900円は，
強盗の共謀 ─┤                                              AおよびBの
           │ B ─────────────────────────●───             遊興にあてら
           └                               ↑                れた
                                      900円強取
```

2　判決要旨──最判昭24・12・17刑集3巻12号2028頁

＊　「AがCの妻の差し出した現金900円を受取ることを断念して同人方を立ち

去った事情が所論の通りであるとしても，Aにおいて，その共謀者たる1審相被告人Bが判示のごとく右金員を強取することを阻止せず放任した以上，所論のように，Aのみを中止犯として論ずることはできないのであって，AとしてもBによって遂行せられた本件強盗既遂の罪責を免れることを得ないのである。」

3 論点の検討

単独犯の中止犯については，中止行為が真剣に行われた以上，結果が発生しても中止犯を認めるべきであるとする見解（香川達夫『刑法講義〔総論〕（第3版）』315頁参照）もある。しかし，中止犯は未遂の一種として規定されていることからして，既遂に達した場合には，中止犯は認められないとするのが妥当である（通説）。判例も後者の立場をとっている。

共犯の場合にも，共犯者が任意に中止したとしても他の共犯者によって既遂に達する可能性があり，犯行を止めたというだけでは要件を充足したとはいえない。したがって，中止犯の成立要件は，基本的に単独犯の場合と同様に考えてよいと思われる。すなわち，他の共犯者の実行行為を阻止するか，または，結果の発生を防止することが要件となるのである。

なお，違法減少説の立場からは，いったん生じた結果発生の危険性を消滅・減少させることが必要となる。また，責任減少説からは，責任を減少させるだけの真摯な努力が重視されることになる（前田雅英『刑法総論講義〔第3版〕』465頁）。

以上のことから，Aは，Bと共同正犯となり，強盗既遂罪の責任を負うことになる。

4 関連判例──最判昭24・7・12刑集3巻8号1237頁

＊ 「Dは，Eを姦淫しようとしたがEが哀願するので姦淫を中止したのである。しかし他の共犯者とEを強姦することを共謀し,他の共犯者が強姦をなし且つ強姦に際してEに傷害の結果を与えた以上，他の共犯者と同様共同正犯の責をまぬかれることはできないから中止未遂の問題のおきるわけはない。」

〔参考文献〕
刑法判例百選Ⅰ総論〔第4版〕196頁〔原田　保〕
基本判例5刑法総論133頁〔相内　信〕
判例講義刑法Ⅰ総論152頁〔十河太朗〕

No. 91　共犯からの離脱

〈CASE〉　AとBは共謀してCに対して約1時間，手拳・竹刀・木刀等で暴行を加えた。その後，Aは，「おれ帰る」といっただけで，これ以上暴行をしないという趣旨のことをCに対して告げず，また，Bに対しても以後は暴行を止めるよう求めたり，あるいはCを寝かせてやって欲しいとか，病院に連れて行って欲しいなどと頼むということはなかった。BはAが立ち去った後もCの言動に再び激昂してCに暴行を加え，Cは死亡するに至ったが，死の結果がAが帰る前の暴行によって生じたものか，それともその後のBの暴行によるものかは断定できなかった。Aの罪責はどうなるか。

1　問題のありか

Aは，「おれ帰る」といっただけで，格別何の防止措置を講ずることなく，Cに対する暴行をやめて成り行きにまかせて現場を去ったにすぎないが，それ以降に生じた結果やBの行為についても責任を負うのか。

すなわち，暴行（208条）にとどまるのか，傷害致死（205条）という加重結果の責任を負うのかということと，Cに対する暴行をやめたAには，中止犯の効果が認められるのかということが問題となる。

なお，CASEのような結果的加重犯の傷害致死罪において傷害の結果が生じた後に共同正犯者の一部が退去した場合には，中止犯を論ずる余地はない，といった捉え方もある（大谷實編『判例講義刑法Ⅰ総論』154頁〔十河太朗〕）。

2　決定要旨——最決平1・6・26刑集43巻6号567頁

＊　「Aが帰った時点では，Bにおいてなお制裁を加えるおそれが消滅していなかったのに，Aにおいて格別これを防止する措置を講ずることなく，成り行きに任せて現場を去ったに過ぎないのであるから，Bとの間の当初の共犯関係が右の時点で解消したということはできず，その後のBの暴行も右の共謀に基づくものと認めるのが相当である。そうすると，原判決がこれと同旨

の判断に立ち，かりにCの死の結果がAが帰った後にBが加えた暴行によって生じていたとしても，Aは傷害致死の責を負うとしたのは，正当である。」

3　論点の検討

共同正犯関係からの離脱については，共同正犯者の一部が実行に着手する以前に離脱するいわゆる着手前の離脱と，実行に着手した以後のいわゆる着手後の離脱が考えられる。ところで，他の共同正犯者の実行行為を中止するためになされた真剣な努力を評価して離脱を認めうるといった見解もある。しかし，離脱を認める趣旨は，離脱者のそれまでの行為と離脱後の他の者による行為との因果関係が切断されることにあるとするのが妥当であろう。そうすると，共同正犯者の一部が犯罪完成前に犯意を放棄し，共同正犯関係から離脱した場合に，**中止犯**が認められるためには離脱者が結果を阻止することが要件となる。結果が阻止されたとき，離脱者のみに中止犯が成立し，他の者は障害未遂にとどまる。

離脱者によって結果が阻止されない場合に問題となるのは，離脱者は離脱前の範囲内で責任を負うのか，または離脱後のことも含めた全体につき責任を負うのかということである。Aは，帰る時点においてBが暴行を加えるおそれが消滅していなかったにもかかわらず，格別何の防止措置を講ずることなく，成り行きにまかせて現場を去ったにすぎないのである。

したがって，Bとの共犯関係は解消せず，その後のBの暴行は共謀に基づくものと考えるのが妥当であろう。よって，Aには，中止犯の効果は認められず，傷害致死罪が成立する。

4　関連判例——松江地判昭51・11・2判時845号127頁

暴力団の若頭であるDは，対立暴力団組員Eの殺害を決意し，Fが実行する旨の共謀が成立したが，いったん出発したFがE殺害を躊躇して引き返してきたため，Gに対し皆を連れ帰るよう指示した。しかし，GらがEを殺害したという事案につき，松江地裁は，「共謀関係の離脱といいうるためには，自己と他の共謀者との共謀関係を完全に解消することが必要であって，殊に離脱しようとするものが共謀者団体の頭にして他の共謀者を統制支配しうる立場にあるものであれば，離脱者において共謀関係がなかった状態に復元させなければ，共謀関係の解消がなされたとはいえない」として，「結局Dにおいて共謀関係の離脱があったと認めることはできない」と判示した。

第6章 正犯と共犯

No. 92　必要的共犯

〈CASE〉　Aは，自己の法律事件の示談解決を弁護士でないBおよびCに依頼し，報酬を支払った。Aの罪責はどうなるか。

1　問題のありか

BおよびCが弁護士法72条，77条違反にあたる点では疑問はないであろう。

CASEの争点は，以下のことである。Aの自己の法律事件の示談について「弁護士でない者に報酬を与える行為もしくはこれを与えることを約束する行為」は，この関与行為がなくては，同法72条，77条違反の罪は成立しえないのであるから，同法同条が当然予想しているものといえる。そこで，Aの行為は，同法72条の教唆（61条1項）もしくは幇助（62条1項）が成立するかどうかが問題となる。したがって，いわゆる**必要的共犯**についての考察・検討が必要となるのである。

2　判決要旨──最判昭43・12・24刑集22巻13号1625頁

＊　「弁護士法72条は，弁護士でない者が，報酬を得る目的で，一般の法律事件に関して法律事務を取り扱うことを禁止し，これに違反した者を，同法77条によって処罰することにしているのであるが，……同法72条の規定は，法律事件の解決を依頼する者が存在し，この者が，弁護士でない者に報酬を与える行為もしくはこれを与えることを約束する行為を当然予想しているものということができ」る。しかしながら，そういった関与行為を「処罰する規定がない以上，これを，関与を受けた側の可罰的な行為の教唆もしくは幇助として処罰することは，原則として，法の意図しないところと解すべきである。」

3　論点の検討

必要的共犯には，内乱罪（77条）や騒乱罪（106条）のように構成要件上同一の目標に向けられた共同行為を要する**集団犯**と，賄賂罪（197条以下）のように構成要件上2人以上の者の対向した行為を必要とする**対向犯**とがある。対向

犯は双方とも処罰されるのが一般的であるものの，わいせつ物頒布・販売罪（175条）のように対向者の一方のみが処罰される場合もある。

弁護士法72条違反罪を後者のように捉えれば，自己の法律事件の示談解決を弁護士でない者に依頼し報酬を支払う行為を立法者が当然認識したのに構成要件を設けなかったのであるから，処罰しない意思を示しているのだという立法者意思説が妥当するように思われる。これに対し，不処罰の実質的根拠は，違法性または責任が欠如することであるとする見解もある。しかし，この考え方を突き詰めると，必要的共犯の概念自体が不要となるように思われる。

たとえば，わいせつ物販売罪について考察すれば，販売者だけが処罰の対象とされ，購入者は処罰されないのは当然予想された購入者の関与行為を不可罰とする立法者・法の意図によるものと考えられる。

そうすると，Aの行為は，弁護士という有資格者による法律事件の解決という利益を放棄したものとして違法性の欠如を根拠とするのではなくて，やはり立法者意思説に基づく政策的・立法的理由によって，弁護士法72条違反の教唆・幇助については処罰されないと考えるのが妥当である。

4　関連判例——最判昭51・3・18刑集30巻2号212頁

預金等に係る不当契約の取締に関する法律についての事案において，最高裁は次のように判示した。「本法は，……金融機関に預金等をする者」または金融機関に預金等をすることについて媒介をする者が，「金融機関から融資を受け又は債務の保証を受ける特定の第三者と通じて金融機関と不当契約をすることを禁止し，……罰則を定めている。しかるに，特定の第三者については，その者が自ら預金等をすることについての媒介をする場合を除いて，……これを処罰しない趣旨で……あって，預金者又は媒介者と特定の第三者が通じたことの内容が，一般的にはこれらの者との共謀，教唆又は幇助にあたると解される場合であっても，預金者又は媒介者の共犯として処罰しない趣旨である」。

[参考文献]
刑法判例百選Ⅰ総論［第4版］198頁［北野通世］
前田雅英『最新重要判例250刑法［第4版］』79頁
基本判例5刑法総論132頁［相内　信］
判例講義刑法Ⅰ総論121頁［十河太朗］

第 6 章　正犯と共犯

共犯と単独犯

共犯
- 最広義の共犯
  - 必要的共犯
    - 多衆犯（集団犯）…内乱罪（77条）／騒乱罪（106条）
    - 対向犯…収賄罪（197条～197条の4）と贈賄罪（198条）
  - 任意的共犯（広義の共犯）
    - 共同正犯（60条）
    - 狭義の共犯
      - 教唆犯（61条）
      - 従犯（62条）

単独犯
- ・間接正犯
- ・同時犯
- ・択一的競合
- ・重畳的因果関係

第7章

罪数・刑罰

併合罪その他
　1人の行為者が2個以上の犯罪を行っているときに，確定裁判を経ていないものは1つの人格の現れとして捉え，合理的な限定を加えて処断刑を出す方法である。ただし，2個以上の犯罪でも，手段もしくは結果の関係にあるときは牽連犯，それが1個の行為によってなされているときは観念的競合となり，それぞれが法定刑の上限・下限を比べて重い刑を選び出し，それを範囲として処罰される。

◆刑法用語ミニ辞典◆

第7章　罪数・刑罰

I　罪　　数

| No. 93 | 接　続　犯 |

〈CASE〉　Aは，深夜，パソコンショップに忍び込み，デスク型パソコン2台を盗み出し自宅に持ち帰り，その1時間後にノート型パソコン3台を，さらにその1時間後に液晶モニタ4台を同じ店から盗み出し，自宅に持ち帰った。Aの罪責はどうか。

1　問題のありか

　たとえば，ある日Bに対して暴行を加え，次の日Cに対しても暴行を加えたという場合，行為者には2つの暴行罪が成立して，それらは刑法45条の**併合罪**となる。そして，処断刑（言い渡すことのできる刑）の範囲の上限は，暴行罪の法定刑（法律で当初から定まっている刑。暴行罪では2年以下の懲役または30万円以下の罰金）の上限の1.5倍となる。しかし，他方で，両手で殴ったからといって2つの暴行罪が成立し，それらが併合罪となるとすると，それは明らかに不合理であろう。そこで判例・通説は，接続犯という法概念を創出したのである。CASEは，Aの行為は全体として1個の窃盗罪を構成する接続犯として評価してよいか，それとも3個の窃盗罪の併合罪として評価すべきかの問題である。

2　論点の検討

　接続犯とは，数個の同種の行為が，同一の法益侵害に向けられ，時間的・場所的に近接して行われるため，全体を包括して一罪（包括一罪）と認められるものをいう。たとえば，同一人に対して引き続き数回の殴打を加えるとか，同一の家屋内でつぎつぎと財物を窃取するなどである。この接続犯の成立要件については，まず，第1に行為の違法性の単一性，すなわち被害法益が全体として1個であること，そして，責任の単一性，すなわち，「単一の犯意」にもとづくことが要件とされる。第2に，時間的・場所的近接性がなくてはならない。

2つの暴行が同一の被害者に対して加えられても，日を異にすればやはり併合罪が認められなければならない。そして，第3に，これらを総合的に勘案し，行為を1個の罰条で評価できるか否かを問うことになる。なお，判例では，「単一の犯意」が一罪の実質的根拠とされているが，学説においては，主観的要件を重視した罪数判断は，一罪の範囲の不当な拡大や罪数判断の不明確性へとつながるとの批判もある。ただ，1個の犯罪というためには，責任が1個でなければならず，したがって，数個の行為が「単一の犯意」に基づくことは必要となろう。

それでは，典型的な接続犯と併合罪との中間に位置するような本問において，接続犯は認められるであろうか。最高裁の判例では，以下のように，同一の被害者から2時間の間隔をおいて3回にわたって窃盗を行った事例について接続犯を認めており，この判例の趣旨はその後の判例でも踏襲されて，たとえば，複数回にわたる麻薬不正施用は**包括一罪**（接続犯）とされている（最判昭31・8・3刑集10巻8号1202頁）。前者の判例については，2時間という時間的隔たりをおいた3個の窃取行為が存在することから，併合罪とみるべきであるという見解もある。しかし，通説は，同一構成要件に該当し，同一の行為態様であるとして，限界事例ではあるが，ぎりぎり接続犯に該当するとしている。とすると，CASEでは，時間的間隔は1時間であり，その他の要素も接続犯を認めた判例と共通しているので，接続犯が認められてよいとおもわれる。

3　関連判例——最判昭24・7・23刑集3巻8号1373頁

被告人は，夜の10時頃から12時頃までの間に，3回にわたって倉庫から米俵を3俵づつ窃取した。原審は，被告人の3個の窃盗罪は併合罪に当たるとしたが，被告人は一罪であると主張した。

＊　「右3回における窃盗行為は，わずか2時間余の短時間のうちに同一場所でなされたもので，同一機会を利用したものであることは挙示の証拠からもうかがわれるものであり，かついずれも米俵の窃取という全く同種の動作であるから単一の犯意の発現たる一連の動作であると認めるのが相当であって，……それが別個独立の犯意に出たものであると（はいえない。したがって）。右のような事実関係においてはこれを一罪と認定するのが相当であって独立した三個の犯罪と認定すべきではない」。

〔参考文献〕
刑法判例百選Ⅰ総論〔第4版〕200頁〔虫明　満〕

第7章 罪数・刑罰

| *No. 94* | 併　合　罪 |

〈**CASE**〉　Aは，スポーツカーで，東名高速道路のX地点を時速約150キロメートルで走行し，途中，事故による交通規制の箇所と，それに引き続いて雨によって路面状況が悪化している数キロを減速したが，X地点から30キロメートル離れたY地点から再度時速150キロメートル以上の猛スピードで走行を続けたというものである。Aのスピード違反行為は何個あるか。そして，それらの罪数関係はどうか。

1　問題のありか

　CASEでは，Aの行為の罪数が問われている。すなわち，Aのスピード違反行為は全体を包括して1個の行為か，それとも，2個の行為の併合罪かが問題となる。この結論の相違は，訴訟法的には，たとえば，X地点でのスピード違反行為につき略式命令（有罪の裁判）が発せられた場合，Y地点での違反行為をさらに処罰できるか否かに関わってくる。かりに全体が1個のスピード違反であるとすると，X地点での略式命令が確定しているならば，（包括）一罪の一部について略式命令がある以上，その既判力（判決が確定し，同一事件については公訴の提起ができなくなること）との関係で，さらなる処罰は不可能となるのである。しかし，かりにそれらは併合罪であるとすると，Y地点の行為についてさらに起訴して有罪判決を求めることができるということになる。スピード違反行為の罪数問題は，まず，速度違反罪の罪質はなにか，つぎに，速度違反行為における罪数の基準はなにかが問われなければならない。

2　決定要旨——最決平5・10・29刑集47巻8号98頁

　被告人は，高速自動車道上のX地点を指定最高速度を超えて進行し（甲事実），その後，急カーブ地点で減速したほかは再び速度違反の状態で運転し，急坂，トンネル等を経て，X地点から約20km離れたY地点を速度違反の状態で進行した（乙事実）。被告人の甲事実につき罰金の略式命令（確定）が発せられた後に，乙事実につき公判請求がなされた。第一審は，甲・乙は包括一罪で

あり，包括一罪の一部につき略式命令が確定している以上，本件公訴は略式命令の既判力に触れるとして免訴の裁判をした。その後2つの行為は併合罪に当たるとして，被告人を有罪とした原判決を，最高裁は以下の理由でもって支持した。

* 「本件においては制限速度を超過した状態で運転を継続した二地点間の距離が約19.4キロメートルも離れていたというのであり，前記のように道路状況等が変化していることにもかんがみると，その各地点における速度違反の行為は別罪を構成し，両者は併合罪の関係にあるものと解すべきである。」

3　論点の検討

速度違反罪の罪質については，判例の主流である継続犯説と即成犯説との2つの理解がある。最決昭49・11・28（刑集28巻8号385頁）は，2つの速度違反の間にいったん減速した事実が認められたという事案につき，2つの速度違反行為は併合罪であると判示した。その理由は，本罪は**継続犯**である以上，速度違反の状態が継続している限り単純一罪ではあるが，いったん減速した後，犯意を新たにして再度違反行為をした場合には，もはや一罪ではないというのである。これに対して，速度違反罪は**即成犯**であり，その保護法益は個々の道路における具体的な危険の防止であると考え，本件では2つの速度違反行為が認められ，それらは併合罪であるという考え方も有力である。しかし，スピード違反が継続している間は，犯罪が継続しているという意味では，本罪の性質については，継続犯と解すべきであろう。ただ，いずれの立場からも，道路状況が変化しいったん減速し，両スピード違反行為が場所的に離れている本問では，2個の行為を認めるべきであろう。

では，2個の速度違反行為は，**包括一罪**となるのか，それとも**併合罪**となるのか。包括一罪としての接続犯の成立は，単一的不法（1個の法益侵害の単なる量的増加）として評価しうるかということにかかっている（その場合に責任の単一性も肯定しうる）。これについては，道路における1個の「一般的」な危険が被告人の行為によってもたらされたという考えもある。しかし，保護法益は個々の道路における状況に応じた，個々の地点での危険の防止と考えるべきであり，とすると，被告人の行為は，別個独立の法益を侵害しており，併合罪に当たると解すべきであろう。

第7章 罪数・刑罰

No. 95 併合罪，観念的競合

〈CASE〉 Aは，無免許で酒に酔った状態で自動車を運転中，Bの運転する自動車に自車を衝突させ，Bに傷害を負わせた。Aの罪責はどうか。

1 問題のありか

酒酔い運転とその間に行われた過失致死傷罪の関係を刑法上どのように評価するかについては判例・学説上争いがあり，併合罪説，観念的競合説，そして折衷説に分かれる。その見解の相違は，観念的競合における「一個の行為」はどのような基準で判断されるべきかにかかっている。そして，これが解決されて，酒酔い運転と業務上過失致死傷罪との罪数関係が判断されることになる。

2 判決要旨──最大判昭49・5・29刑集28巻4号114頁

被告人は，酒酔い運転継続中に過失により歩行者に自車を衝突させ，死亡させた。最高裁は以下のように判示して，両罪は併合罪であるとした。

* 「(観念的競合にいう) 一個の行為とは，法的評価をはなれ構成要件的観点を捨象した自然的観察のもとで，行為者の動態が社会的見解上一個のものとの評価をうける場合をいうと解すべきである」，「もともと自動車を運転する行為は，その形態が，通常，時間的継続と場所的移動とをともなうものであるのに対し，その過程において人身事故を発生させる行為は，運転継続中における一時点一場所における事象であって，前記の自然的観察からするならば，……社会的見解上別個のものと評価すべきであ」り，「本件における酒酔い運転の罪とその運転中に行なわれた業務上過失致死の罪とは併合罪の関係にあると解するのが相当であ」る。

3 論点の検討

無免許運転や酒酔い運転継続中に過失によって人を死傷させた場合の罪数関係については，併合罪であるとする説と観念的競合であるとする説，そして無免許や酒酔いが過失の内容となっているときには観念的競合であるとする折衷説がある。併合罪説は，構成要件的評価を捨象して自然的観察によって，2つ

の行為が全部重なることを観念的競合の要件とする。観念的競合説は，むしろ法的・構成要件的評価を前提として，2つの行為に重要な「重なり合い」があれば，観念的競合は認められてよいとする。折衷説は，無免許や酒酔いが原因で注意義務違反が生じたのではなく，直近過失として前方注視義務違反等が肯定される時にのみ併合罪が肯定されるとする。かつての下級審判例は併合罪とするものと観念的競合とするもののほか，折衷説も有力に主張された。

このような対立のあるなか，上述の最大昭49・5・29は，「**一個の行為**」については，その判断基準として自然的観察・社会的見解に立つ説を支持し，法的な評価を判断に加える説を排斥し，その上で，運転行為という**継続犯**（いわば「線」）と，業務上過失致死傷罪という**即成犯**（いわば「点」）とは，自然的観察・社会的見解上別個のものであるとして併合罪説に立ったものである。この判例の趣旨に照らせば，無免許運転という「線」と業務上過失傷害という「点」の交差するCASEについても，また，無免許運転と速度違反（最決昭49・11・28刑集28巻8号385頁）も「線」と「点」の関係にあるとして併合罪が，一方，無免許運転と酒酔い運転（右大法廷判決・刑集28巻4号151頁）とは，いわば「線」と「線」の関係にあり，観念的競合がそれぞれ認められよう。

しかし，投石によって器物を損壊し人を傷害するというような観念的競合の典型的な場合をのぞくと，「一個の行為」か否かは，複数の構成要件に該当する行為を対象として，それらの行為の「重なり合い」を手がかりに判断するものであって，このような意味における法的評価は不可避であろう（通説）。また，ガレージを出た直後の事故や自動車の操作を全く知らない者の事故であった場合には，自動車運転行為を継続犯と見るべきではないので，業務上過失致傷罪とは「点」で重なっているとして，以上の3つの罪はすべて観念的競合の関係に立つと思われる。

CASEでは，したがって，Aには，道交法上の無免許運転の罪，酒酔い運転の罪，そして刑法上の業務上過失致傷罪の3罪が成立し，前2者は観念的競合となり，それと業務上過失致傷罪とは併合罪の関係に立つことになる。

なお，CASEにおいて，アルコールの影響により正常な運転が困難になり，それで事故を起こしたときは，危険運転致傷罪（208条の2）の問題となる。

[参考文献]

刑法判例百選I総論［第4版］206頁［只木　誠］

No. 96　不作為犯の罪数

〈CASE〉　Aは，過失により自車を歩行者Bに追突させて負傷させたが，道交法上義務づけられている負傷者の救護も，事故を警察官に報告することもなく逃走した。救護義務違反と報告義務違反との罪数はどうか。

1　問題のありか

道路交通法72条1項前段の救護義務違反と同後段の報告義務違反という複数の不作為犯が成立した場合に，それらは観念的競合となるか，それとも併合罪として扱うべきかが問題となる。そこでは，不作為犯における「一個の行為」を何について，そして，どのように判断するのかが問われることになる。

2　判決要旨──最大判昭51・9・22刑集30巻8号1640頁

被告人は，交通事故を引き起こしながら，負傷した被害者の救護をせず，また，事故を警察官に報告しないで逃走し，被害者を死亡させた。道路交通法上の救護義務と報告義務の罪数が問題となった。

＊　「刑法54条1項前段にいう一個の行為とは，法的評価をはなれ構成要件的観点を捨象した自然的観察のもとで行為者の動態が社会的見解上1個のものと評価される場合をいい……不作為もここにいう動態に含まれる。」救護義務と報告義務の「2つの義務に違反して逃げ去るなどした場合は，社会生活上，しばしば，ひき逃げという1つの社会的出来事として認められている」。したがって，1個の交通事故から生じた2つの義務を負う場合「これをいずれも履行する意思がなく，事故現場から立ち去るなどしたときは，他に特段の事情がないかぎり，右各義務違反の不作為は社会的見解上1個の動態と評価すべきものであり，右各義務違反の罪は刑法54条1項前段の観念的競合の関係にあるものと解する」。

3　論点の検討

救護義務違反罪と**報告義務違反罪**との罪数関係について，以前の最高裁判決は併合罪であるとしていたが，上述最大判昭51・9・22は，両者は観念的競合

の関係にあるとして判例変更を行った。その根拠は，観念的競合における一個の行為を最大判昭49・5・29にいう自然的観察・社会的見解によって判断するならば，2つの義務違反はひき逃げという「一個の行為」によって実現されているということにある。

　学説では，併合罪説が多数説である。併合罪説は，不作為犯における行為は不作為そのものをさすのであって，上述大法廷判決の法廷意見のいうように不作為の反面においてこれとうらはらに存在する作為をいうのではないという。すなわち，「ひき逃げ」という一個の行為の中に2つの義務違反の行為を見いだし，両者を観念的競合と解することはできないとするのである。この立場からすると，観念的競合における「一個の行為」は，むしろ2つの不作為の「重なり」の問題，すなわち法的評価の問題として捉えられることになる。そこで，「救護しない」という不作為と「報告しない」という不作為が一個であるか否かを問うことになるが，不作為の個数は義務づけられた行為の個数によるべきである以上，そこに一個の不作為を認めることはできないとする。「一個の行為」によって両者の作為義務をはたしうる場合でない限り，2つの不作為の「重なり」を肯定することはできないからである。

　そこで検討するに，まず，不作為犯における**「一個の行為」**については，たしかに，併合罪説のいうように，評価の対象を「なまの行為」，本件でいえば「逃走行為」に求めることはできないと思われる。さもなければ，逃走の間にいったん引き返す行為や隠れる行為があれば併合罪ということになってしまうからである。評価の対象は不作為に求め，一個の行為の判断基準は，その「重なり」に求めるべきであろう。一方，併合罪説にも問題がある。この説によると，1つの作為で2つの義務の履行が可能な場合にのみ「一個の行為」が看取されることになるが，そうすると複数の不作為犯が成立した場合に，観念的競合となる範囲は極めて限定されることになる。そこで，不作為犯や過失犯においては，ある犯罪実現の後に更なる法益侵害を回避できたかを問い，回避不可能であれば不作為は一個，回避できたにもかかわらず結果回避措置をとらなかった場合には不作為は二個成立すると解する説が主張されるに至った。これによれば，**CASE**の2つの不作為犯は，同時に成立しているとして，観念的競合の成立が肯定されることになる。

No. 97　牽連犯か併合罪か

〈CASE〉　Aは，10歳の子供Bを身代金目的で誘拐し，自動車で自宅まで連れ去り，そこで監禁し，その後にBの母に身代金を要求した。本問における罪数関係を論ぜよ。

1　問題のありか

CASEでは，刑法225条の2第1項の身代金目的拐取罪と同第2項の身代金要求罪，そして220条の監禁罪が成立することに異論はない。問題は，相互の罪数関係である。これを判断するには，それぞれの犯罪の性質および牽連犯の性質をどのように考えるかが問題となる。

2　決定要旨——最決昭58・9・27刑集37巻7号1078頁

被告人は，男児児童を誘拐し，その後，約一週間の間，自動車や知人宅に児童を監禁しながら，同児の母に電話して身代金を要求した。

＊　「みのしろ金取得の目的で人を拐取した者が，更に被拐取者を監禁し，その間にみのしろ金を要求した場合には，みのしろ金目的拐取罪とみのしろ金要求罪とは牽連犯の関係に，以上の各罪と監禁罪とは併合罪の関係にあると解するのが相当であ」る。

3　論点の検討

まず，犯罪競合の形態を確認しよう。包括一罪とは，外見上は複数の構成要件に，あるいは1個の構成要件に数回該当する行為であっても，その違法内容，責任内容の単一性を理由として，1個の罰条によって包括的に評価できる場合をいう。単純一罪と観念的競合や牽連犯などの科刑上一罪の中間に位置し，本来的一罪の一形態である。**観念的競合**は，「一個の行為が2個以上の罪名に触れ」る場合をいう（**No. 95**参照）。これに対して，同じく科刑上一罪に属する**牽連犯**は，「犯罪の手段若しくは結果である行為が他の罪名に触れるとき」に成立する。これは随伴的行為として結合犯と類似する側面がある。牽連犯の成立には，第1に，客観的牽連性，すなわち手段・結果の関係が，行為者の主観

においてではなく，客観的にみて通常の関係にあること，第2に，この客観的牽連性が充足されるためには抽象的牽連性（「手段または結果たる関係」が罪質について存すること）のほかに具体的牽連性（具体的犯行がかかる関係にあること）が必要であるとされている。したがって，偽造文書が詐欺の手段として使用されていなければ，文書偽造罪と詐欺罪とは併合罪となるとされている。最後に，**併合罪**は，数個の犯罪の間に，このような関係がない場合であり，実質的に数罪として扱われる。科刑上一罪であれば，吸収主義により最も重い刑の限度で処断されるのに対して，併合罪では有期の自由刑につき加重主義により処断されることになる。

さて，CASEで問題となる身代金目的拐取罪と身代金要求罪との罪数関係につては，包括一罪説も有力である。しかし，判例では牽連犯とされた（立案当局者も同様の理解にあったといわれている）。構成要件自体に，手段・結果の関係が見られ，一連の行為に抽象的牽連性も，またCASEにおいて具体的牽連性も肯定されるからであり，一方で，包括一罪を認めるには，それぞれの行為の独立性や罪質の異種性は無視できないと評価されたのであろう。しかし，同一の目的に向けられた行為であることからすると，同一罰条によって包括的に評価できる限界事例に属するといえるのではないか。

次に，以上の罪と監禁罪との**罪数関係**である。観念的競合説は，拐取罪と監禁罪をともに継続犯であるとして，被害者を自己の支配下においたところからこれを解放する時まで，両犯罪は重なっているとみるのである。牽連犯説は，観念的競合の成立を否定しつつ，しかし，牽連関係が両者の間に見られることを主張の根拠とする。判例は併合罪であるとする。両者を「一個の行為」とは評価できず，また，両者の間に牽連関係を看取することもできないというのである。その背景には，拐取罪は状態犯（立案当局者の理解），監禁罪は継続犯とする理解があるのであろう。なお，牽連犯説・併合罪説は，拐取罪の罪質を状態犯と解すれば当然，継続犯と解しても略取罪が先行して成立する以上，観念的競合とはならないとしている。

ただ，拐取罪を状態犯と解しても，監禁罪とは手段・結果の関係にあることが多く，実質的に数罪とするまで独立性が強いとは思われない。牽連犯説をもって妥当であると解する。CASEでは，したがって，身代金目的拐取罪と身代金要求罪とは包括して一罪（判例は牽連犯）となり，それらと監禁罪とは牽連犯（判例は併合罪）となると解する。

No. 98　かすがい現象

〈CASE〉　Aは，日頃から恨みをもっているB宅に押し入り，Bとその妻C子とを順次殺害した。Aの罪責はどうか。

1　問題のありか

Aは，BとC子に対する２つの殺人（199条）を行っている。「一個の行為」による場合には観念的競合となるが，本問のようにBを殺害しその後にC子を殺害した場合には併合罪ということになる。ただ，本問で被告人の行った住居侵入罪と殺人罪とは，牽連犯の関係にある。とすると，全体として54条１項後段の牽連犯として扱うことも考えられる。しかしながら，かりに屋外で２つの殺人罪が行われた場合には，それらを併合罪として有期懲役を選択した場合，刑は加重され，３年以上20年以下となるのに，住居侵入罪を犯して殺人が行われれば，全体が牽連犯とされ，その処断刑は３年以上15年以下となり，住居侵入罪が加わることでかえって処断刑が軽くなってしまうのである。

2　関連判例──最決昭29・5・27刑集8巻5号741頁

被告人は，離婚した妻Dを殺害する意思でDが身を寄せているDの母E方に侵入し，Eを，次にDを，そして，子供Fをそれぞれ殺害した。３個の殺人罪と住居侵入罪が成立することには疑念はなく，問題はその罪数関係である。

＊　「事実審の確定した事実によれば所論３個の殺人の所為は所論１個の住居侵入の所為とそれぞれ牽連犯の関係にあり刑法54条１項後段，10条を適用し一罪としてその最も重き罪の刑に従い処断すべきであり，従つて第一審判決にはこの点に関し法条適用につき誤謬あること所論のとおりであるが，右判決は結局被害者Dに対する殺人罪につき所定刑中死刑を選択し同法46条１項に従い処断しているのであるから，該法令違背あるに拘わらず原判決を破棄しなければ著しく正義に反するものとはいい得ない。」

3　論点の検討

本来併合罪の関係にある甲罪，乙罪という複数の罪が，第３の丙罪とそれぞ

れ科刑上一罪の関係にあるとき，丙罪の「かすがい」作用によって，一括して全体が科刑上一罪になることを**かすがい現象**という。この問題点は，本来であれば併合罪の関係にある甲罪，乙罪に，それらと科刑上一罪の関係に立つ第3の丙罪が加わることで，かえって**処断刑**が軽くなってしまい不都合が生じるという点にある。**CASE**に即していえば，住居侵入罪後の殺人の場合，住居侵入罪がかすがいとなって全体を牽連犯の一罪となすことで，屋外でのそれよりも，刑がかえって軽くなってしまうのである。

そこで，かすがい作用を及ぼす丙罪が甲罪，乙罪よりも軽い場合に必然的に生じるこのような不合理を直視し，かすがい現象を回避する「かすがいはずし」の理論が検討されることになる。①は，甲罪と丙罪だけを科刑上一罪として，これと乙罪とを併合罪とする説で，②は，甲罪と丙罪，乙罪と丙罪の各科刑上一罪の併合罪とする説，③は甲罪と乙罪の併合罪と丙罪とを科刑上一罪とする説である。さらに，④甲罪と乙罪の併合罪と甲罪と丙罪，乙罪と丙罪との科刑上一罪を認め，罪数としては全体を1個の科刑上一罪，刑罰については最も重い罪によって処断するとする説もある。①説に対しては，乙罪と丙罪とを併合罪とすることは不合理であるとされており，理論上は②，③説が無難であるとされるが，②説は丙罪を二重に評価する点に難があるといわれている。④説は，科刑上一罪としながら併合罪とする点が批判されている。そこで③説が有力となっているが，③説についても，そのような処断方法が現行法の解釈として許されるのかについては疑念が提起されている。

かすがいはずしの理論に対しては種々問題があり，また，わが国では法定刑の幅が広く，現実の**宣告刑**はその下限に集中している現状からすると，かすがい現象によって不都合は生じず，量刑において妥当な解決を図ればよいというのが多数説の立場であろう。判例も，大審院時代からかすがい現象を肯定してきたが，昭和29年の最高裁決定によって，最高裁もこれを正面から肯定したことになる。しかし，かすがい現象の不合理を直視すれば，かすがいはずしはやはり必要であり，その際には③説が妥当であると思われる。立法論という批判もあるが，現行法の解釈として導くことができないわけではないであろう。

CASEでは，したがって，甲に対する殺人罪と乙に対する殺人罪とは併合罪，それと住居侵入罪とは牽連犯の関係にあると解する（判例によれば，全体が牽連犯となる）。

Ⅱ 刑　　罰

No. 99　死刑の合憲性

〈CASE〉　Aは，かねてから自分を邪魔者扱いする母Bと妹Cに殺意を抱き，熟睡中の両名を槌で殴って即死させ，遺体を古井戸へ投げ込んだ。原審はAに死刑判決を言い渡したが，Aは「死刑こそは最も残虐な刑罰であるから新憲法によって刑法第199条同200条等に於ける死刑に関する規定は当然廃除されたものと解するべきである」として上告した。死刑は，憲法に違反するか。

1　問題のありか

　今日，国連では生命権の尊重から死刑廃止条約が採択され，また，世界の半数以上の国が，生命権の尊重はもちろんのこと，刑罰としての残虐性や誤判のおそれを理由として，死刑を廃止している。わが国は絞首による死刑を存置しているが，生命に対する権利を侵害することから，合憲性が問題となる。

　なお，CASEで適用された尊属殺人罪（200条）は，憲法14条1項の法の下の平等に違反するとして違憲判決（最判昭48・4・4刑集27巻3号265号）が出され，平成7年の刑法改正の際に削除された。

2　判決要旨——最判昭23・3・12刑集2巻3号191頁

＊　「（憲法13条においては）公共の福祉という基本的原則に反する場合には，生命に対する国民の権利といえども立法上制限ないし剝奪されることを当然予想しているものといわねばならぬ。……憲法第31条によれば，国民個人の生命の尊貴といえども，法律の定める適理の手続によって，これを奪う刑罰を科せられることが明らかに定められている。すなわち憲法は，現代多数の文化国家におけると同様に，刑罰として死刑の存置を想定し，これを是認したものと解すべきである。……死刑の威嚇力によって一般予防をなし，死刑の執行によって特殊な社会悪の根元を絶ち，これをもって社会を防衛せんと

したものであり，また個体に対する人道観の上に全体に対する人道観を優位せしめ，結局社会公共の福祉のために死刑制度の存続の必要性を承認したものと解せられるのである。……刑罰としての死刑そのものが，一般に直ちに（憲36条に）いわゆる残虐な刑罰に該当するとは考えられない。……その執行の方法等がその時代と環境とにおいて人道上の見地から一般に残虐性を有すると認められる場合には，勿論これを残虐な刑罰といわねばならぬ」。

3　論点の検討

CASE において，判例は，憲法13条および31条の**反対解釈**と，死刑の威嚇力による一般予防効果，死刑の執行により特殊な社会悪を絶つという社会防衛機能を根拠に，死刑そのものは残虐な刑罰にならないとし，通説も同様の見解である。しかし，生命権は公共の福祉による制限を受けるものではなく，死刑の**一般予防効果**についても科学的に実証されておらず，また，社会防衛機能についても終身刑によって確保することができることから根拠付けとはならないと批判することができる。

また，憲法31条との関係では，死刑の執行方法を定めた明治6年太政官布告65号の効力に争いがあることから執行手続の適正さが，死刑の執行が法務大臣の裁量に委ねられていること，死刑確定者の再審無罪事件が4件あるなど，誤判の可能性のある手続で死刑を科していること，同一の事件が裁判官によって死刑や無期になることから**死刑の適用基準**の不明確さが問題となりうる。

さらに，死刑が**残虐な刑罰**にあたるかについては，CASE の判決のように執行方法に焦点をあてて論じられることが多い（最判昭30・4・6刑集9巻4号663頁）が，刑罰の性質や執行方法のみならず，罪刑の均衡なども考慮して，死刑という刑罰自体の残虐性を検討する必要がある。**身体刑**が残虐な刑罰にあたるとして廃止されたにもかかわらず，それよりも過酷な**生命刑**が残虐な刑罰にあたらないとするのは疑問である。また，アメリカの判例において，死刑の絶対的法定は残虐で異常な刑罰であるとされたが，外患誘致罪（81条）は死刑を絶対的法定刑として規定している。

最後に，国家目的から生命の剥奪を肯定する点で戦争の放棄（憲9条）との関係を，適用または執行に恣意性がみられるのであれば，法の下の平等（憲14条1項）違反を論じることができる。

以上の点から，死刑は憲法違反のおそれがあるといわざるをえない。

第7章　罪数・刑罰

No.100　死刑適用の基準

〈CASE〉　19歳の少年Aは，米軍基地内で窃取したけん銃を使用して，わずか1か月足らずのうちに，東京で警備員B，京都で警備員C，函館でタクシー強盗の際に運転手D，名古屋でもタクシー強盗の際に運転手Eを射殺し，さらに約半年後に再び東京で学校内に侵入して物色中に警備員Fに発見されたので発砲したが命中せず，Fを殺害するにはいたらなかった。Aには死刑判決が言い渡されたが，死刑を適用する基準は，どうあるべきか。

1　問題のありか

　死刑は，生命を奪うという最も厳格な刑罰である。それゆえ，その適用は慎重でなくてはならず，改正刑法草案も「死刑の適用は，特に慎重でなければならない」としている（48条3項）。

　現行法は，死刑相当犯罪を刑法上12種，特別刑法上6種のあわせて18種に限定し，また，犯行時18歳未満の者には死刑を適用しないことを定めている（少年法51条）。18種の死刑相当犯罪のうち，外患誘致罪（81条）のみが死刑を絶対的法定刑としており，他は懲役刑または禁錮刑が選択的に規定されている。そこで，どのような場合に死刑を適用すべきかという問題が生じることになる。この点に関して，死刑の具体的な適用基準を示した明文の規定がないため，最終的には裁判官の裁量に委ねられることになるわけであるが，そこに恣意的判断が介入しないような一定基準を確立することが必要となる。

　第一審では，Aに有利な一切の事情を参酌しても，死刑の選択はやむを得ないとして，死刑判決を言い渡されたが，第二審は，結果の重大性，遺族らの被害感情の深刻さ，社会的影響の大きさ，第一審公判におけるAの行動の異常さなど不利な情況を総合考慮すれば，死刑も認められないわけではないとしながらも，「いかなる裁判所がその衝にあたっても死刑を選択したであろう程度の情状がある場合に限定されるべきものと考える」として，犯行時の年齢，劣悪

な生育環境，社会の責任，結婚による心境の変化と改悛の情，遺族への慰謝の表明と賠償などを理由に無期懲役の判決を言い渡した。これに対して，この判断は死刑制度存置の根幹に関わる問題であるとして検察側が上告した。

2 判決要旨——最判昭58・7・8刑集37巻6号609頁

＊「死刑が人間存在の根源である生命そのものを永遠に奪い取る冷厳な極刑であり，誠にやむを得ない場合における窮極の刑罰であることにかんがみると，その適用が慎重に行われなければならない。……死刑制度を存置する現行法制の下では，犯行の罪質，動機，態様ことに殺害の方法手段の執拗性・残虐性，結果の重大性ことに殺害された被害者の数，遺族の被害感情，社会的影響，犯人の年齢，前科，犯行後の情状など各般の情状を併せて考察したとき，その罪質が誠に重大であって，罪刑の均衡の見地からも一般予防の見地からも極刑がやむをえないと認められる場合には，死刑の選択も許されるものといわなければならない」。

3 論点の検討

CASEは，いわゆる連続ピストル射殺の永山事件で，この上告審判決は**死刑の適用基準**を初めて示した判決であり，罪責の重大性を考慮する具体的な要素を挙げ，罪刑均衡と一般予防の見地から検討することを求めている。その後の判例で，考慮する要素には，犯行の計画性（たとえば，最判昭62・7・9判時1242号131頁，判タ642号178頁），共犯関係の主導的役割（たとえば，最判平8・9・20刑集50巻8号571頁）なども加えられているが，現在もこれが実務上の指針となっている。

実際の死刑の適用状況をみると，殺人罪（199条）と強盗致死罪（240条後段）に対するものが大部分で，単純な殺人罪であれば被害者の数が3人以上の場合に適用されることが多いが，他の犯罪とかかわる殺人罪であれば，被害者が1人であっても，当初から確定的な殺意があり，計画性が認められる場合には適用されている（たとえば，最判平11・12・10刑集53巻9号1160頁）。また，この数年は犯罪の増加と関係してか，死刑判決は増加傾向にある。

CASEのように，死刑と無期の間を揺れる事例もみられることから，死刑の適用をさらに慎重にするために，裁判官の全員一致を採用することも必要であろう。

〔参考文献〕
昭和58年度重要判例解説152頁〔墨谷　葵〕

第 7 章　罪数・刑罰

罪 数 の 一 覧

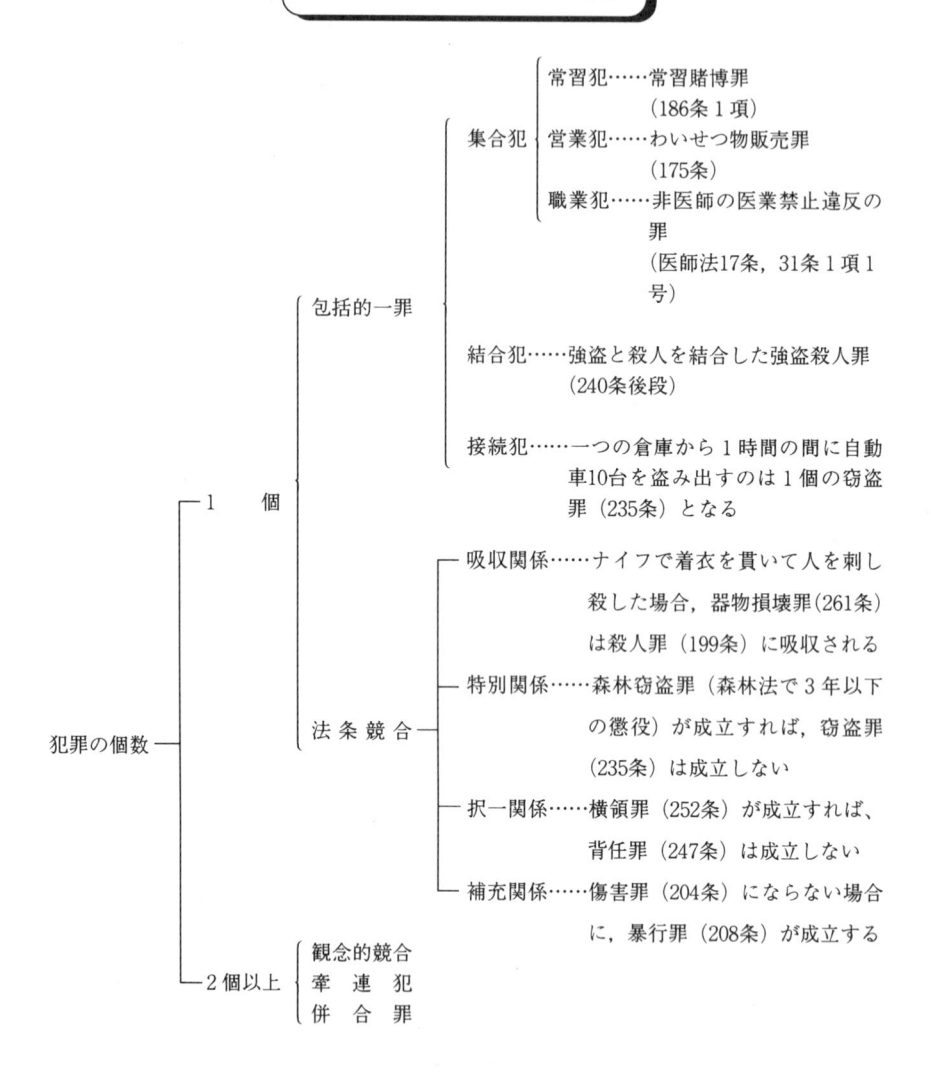

- 犯罪の個数
  - 1 個
    - 包括的一罪
      - 集合犯
        - 常習犯……常習賭博罪（186条1項）
        - 営業犯……わいせつ物販売罪（175条）
        - 職業犯……非医師の医業禁止違反の罪（医師法17条，31条1項1号）
      - 結合犯……強盗と殺人を結合した強盗殺人罪（240条後段）
      - 接続犯……一つの倉庫から1時間の間に自動車10台を盗み出すのは1個の窃盗罪（235条）となる
    - 法条競合
      - 吸収関係……ナイフで着衣を貫いて人を刺し殺した場合，器物損壊罪(261条)は殺人罪（199条）に吸収される
      - 特別関係……森林窃盗罪（森林法で3年以下の懲役）が成立すれば，窃盗罪（235条）は成立しない
      - 択一関係……横領罪（252条）が成立すれば、背任罪（247条）は成立しない
      - 補充関係……傷害罪（204条）にならない場合に，暴行罪（208条）が成立する
  - 2 個以上
    - 観念的競合
    - 牽連犯
    - 併合罪

事項索引

あ行

あてはめの錯誤 …………………… 111
安楽死 ……………………………… 70
意思の連絡 ………………………… 178
一故意犯説 ………………………… 95
一部行為の全部責任 ……………… 181
一個の行為 …………………… 202, 204
違法減少説 ………………………… 191
違法性 ……………………………… 37
　――の意識 …………………… 9, 100, 111
　――の意識不要説 ……………… 111
　――の錯誤 ……………………… 100
　――の相対性 …………………… 37
　――の本質 ……………………… 68
意味の認識 …………………… 102, 103
医療事故 …………………………… 115
岩教組同盟罷業事件 ……………… 8
因果関係 ……………… 26, 97, 175, 185
　――の錯誤 ……………………… 96
因果的共犯論 ……………………… 167
疑わしきは被告人の利益に ……… 27
大阪南港事件 ……………………… 28

か行

概括的故意 ………………………… 92
介在事情の異常性 ………… 27, 29, 33
介在事情の結果 …………… 27, 29, 33
蓋然性説 …………………………… 89
回避義務 …………………………… 125
拡張解釈 ………………………… 11, 13
確定的故意 …………………… 89, 94
科刑上一罪 …………………… 206, 209
過去の侵害 ………………………… 49
過失推定説 ………………………… 19

過失の競合 ………………………… 122
過失犯の共同正犯 …………… 162, 163
過剰避難 …………………………… 65
過剰防衛 ……………… 54, 57, 61, 171
かすがい現象 ……………………… 209
かすがいはずしの理論 …………… 209
可罰的違法性 ……………………… 38
狩勝トンネル事件 ………………… 66
間接正犯 …………… 135, 152, 153, 155, 156
間接幇助 …………………………… 176
勘違い騎士道事件 ………………… 58
監督過失 …………………… 124, 163
観念的競合 ……………… 197, 202, 206
危惧感説 ………………… 115, 117, 119
危険を消滅させる行為 …………… 139
危険を防止する行為 ……………… 127
期待可能性 ……………… 57, 71, 77, 128
危難の現在性 ……………………… 62
規範的構成要件要素 ……………… 102
規範的責任論 ……………………… 129
規範的要素 …………………… 102, 106
客観・形式説 …………………… 161
客観・実質説 …………………… 161
客観的危険説 ……………………… 149
客観的相当因果関係説（客観説） … 27, 30
旧過失論 …………………………… 117
救護義務違反罪 …………………… 204
急迫不正の侵害 …………………… 48
狭義の共犯 ………………………… 15
教唆 ………………………………… 194
教唆犯 ………………………… 45, 152
行政法規違反 ……………………… 125
共同意思主体説 …………… 159, 179
共同正犯 ………………… 157, 158, 160
共犯 …………………………… 184, 191

215

事項索引

——錯誤 …………………………… 185
——従属性 ………………………… 151
共犯従属性説 ……………………… 177
共犯独立性説 ……………………… 175
共謀共同正犯 ……………………91, 160
共謀共同正犯論 …………………157, 159
共謀者 ……………………………… 186
業　務 ……………………………… 126
極端従属性説 ……………………… 153
禁制品輸入罪 ……………………… 155
近鉄生駒トンネル火災事件 ……… 118
空気注射事件 ……………………… 148
具体的危険説 …………………147, 149
具体的事実の錯誤 ………………… 94
具体的符合説 ……………………… 95
具体的予見可能性 ………………… 117
具体的予見可能性説 ……………… 119
形式的客観説 ……………………… 133
刑事未成年者 …………………152, 156
継続犯 …………………………201, 203
刑の廃止 …………………………… 16
刑の変更 …………………………… 16
刑の免除 …………………………… 136
刑罰の権衡 ………………………… 98
刑罰法規の明確性 ………………… 22
結果回避可能性 …………………… 125
結果回避義務 …………………117, 121
結果的加重犯 ………30, 86, 164, 165, 192
結果発生の確率 ………………27, 29, 33
結果発生防止の確率 ……………… 35
結果無価値論 ……………………… 68
原因において自由な行為 ……80, 82, 84, 87
厳格故意 …………………………… 111
現在の危難 ………………………… 63
限時法 ……………………………… 17
限定責任能力 ……………………… 83
謙抑性の原則 ……………………… 4
牽連犯 …………………………197, 206, 209

故意ある道具 ……………………… 85
故意ある幇助的道具 ……………… 179
故意犯説 …………………………58, 85
行為共同説 ……………………162, 166, 187
行為と責任の同時存在の原則 ……83, 87
行為無価値論 ……………………… 68
合憲限定解釈 ……………………… 5
絞　首 ……………………………… 210
構成要件該当性 …………………… 21
構成要件の重なる範囲 …………93, 98
強盗の機会 ………………………… 164
公務員の争議行為 ………………… 40
個人責任主義 ……………………… 159
誤想過剰防衛 ……………………… 58
誤想防衛 …………………………54, 57
異なる構成要件間の錯誤 ………… 186
コントロールド・デリバリー …… 154

さ行

罪刑法定主義 ………………1, 98, 112, 177
——の原則 ……………………… 3, 8
作為義務 ……………………22, 24, 172, 188, 205
作為との等価値性 ………………… 35
作為の可能性 ……………………22, 24
錯　誤 ……………………………… 184
砂末吸引事件 ……………………… 96
残虐な刑罰 ………………………… 211
時間的適用範囲 …………………… 17
自救行為 …………………………… 72
死刑の適用基準 …………………211, 213
死刑廃止条約 ……………………… 210
自己決定権 ………………………… 70
事実の錯誤 ……………………94, 104, 107, 109
実行共同正犯 ……………………… 91
実行の着手 ……………………131, 134
——時期 ………………………… 132
実行未遂 ………………………140, 142, 144
実質的客観説 ……………………… 133

216

社会的相当性・・・・・・・・・・・・・・・・・・・・・・・45
終身刑・・・・・・・・・・・・・・・・・・・・・・・・・・・・・・211
集団犯・・・・・・・・・・・・・・・・・・・・・・・・・・・・・194
柔道整復師事件・・・・・・・・・・・・・・・・・・・・32
主観説・・・・・・・・・・・・・・・・・・・・・・・・・・・・・133
主観的相当因果関係説（主観説）・・・・・27, 30
順次共謀・・・・・・・・・・・・・・・・・・・・・・・・・・159
障害未遂・・・・・・・・・・・・・・・・・・・・・・・・・・137
承継的共同正犯・・・・・・・・・・・・・・166, 168
承継的共犯・・・・・・・・・・・・・・・166, 168, 168
条件関係・・・・・・・・・・・・・・・・・・・・・・・・・・・27
条件説・・・・・・・・・・・・・・・・・・・・・・・・・・・・185
条件付故意・・・・・・・・・・・・・・・・・・・・・・・・90
状態犯・・・・・・・・・・・・・・・・・・・・・・・・・・・・207
職務上の地位・・・・・・・・・・・・・・・・・・・・127
知る権利・・・・・・・・・・・・・・・・・・・・・・・・・・44
侵害の急迫性の否定・・・・・・・・・・・・・・47
侵害の現在性・・・・・・・・・・・・・・・・・・・・・49
侵害法益・・・・・・・・・・・・・・・・・・・・・・・・・・53
新過失論・・・・・・・・・・・・・・・・・・・・115, 117
人事院規則への委任・・・・・・・・・・・・・・・6
真摯性・・・・・・・・・・・・・・・・・・・・・・・・・・・・144
真実性の証明・・・・・・・・・・・・・・・・・・・・・43
真摯な努力・・・・・・・・・・・・・・138, 142, 145
心神耗弱・・・・・・・・・・・・・・・・・・・・・79, 86
心神喪失・・・・・・・・・・・・・・・・・・・・・79, 80
真正不作為犯・・・・・・・・・・・・・・・・・・・・・22
真正身分犯・・・・・・・・・・・・・・・・・180, 182
信頼の原則・・・・・・・・・・・・・・・・・115, 120
心理的責任論・・・・・・・・・・・・・・・・・・・・129
数故意犯説・・・・・・・・・・・・・・・・・・・・・・・94
制限故意説・・・・・・・・・・・・・・・・・・・・・・111
制限従属性説・・・・・・・・・・・・153, 155, 109
政治的行為・・・・・・・・・・・・・・・・・・・・・・6, 7
精神鑑定・・・・・・・・・・・・・・・・・・・・・・・・・・79
正当化事由・・・・・・・・・・・・・・・・・・・・・・・67
正当業務行為・・・・・・・・・・・・・・・・・43, 45
正当行為・・・・・・・・・・・・・・・・・・・・・40, 42

正当防衛・・・・・・・・・・・・・・・・・・・・・61, 170
正犯行為・・・・・・・・・・・・・・・・・・・・・・・・175
責任減少説・・・・・・・・・・・・・・・・・・・・・・191
責任主義・・・・・・・・・・・1, 18, 81, 83, 95, 100
責任説・・・・・・・・・・・・・・・・・・・・・・109, 111
責任能力・・・・・・・・・・・・・・・・・・・・・・・・・78
責任無能力・・・・・・・・・・・・・・・・・・・・・・・83
積極的加害意思・・・・・・・・・・・・・・・47, 51
接続犯・・・・・・・・・・・・・・・・・・・・・・・・・・198
絶対的不能・・・・・・・・・・・・・・・・・・・・・・147
折衷的相当因果関係説（折衷説）・・・・・27, 30
先行行為者・・・・・・・・・・・・・・・・・・・・・・169
先行行為に基づく作為義務・・・・・・・・・35
先例拘束性・・・・・・・・・・・・・・・・・・・・・・・・9
相対的不能・・・・・・・・・・・・・・・・・・・・・・147
相当因果関係説・・・・・・・・・・・・・・27, 185
阻却事由・・・・・・・・・・・・・・・・・・・・・・・・・21
遡及処罰禁止・・・・・・・・・・・・・・・・・・8, 17
即成犯・・・・・・・・・・・・・・・・・・・・・201, 203
属地主義・・・・・・・・・・・・・・・・・・・・・・・・・14
「そそのかし」罪・・・・・・・・・・・・・・・・・・44
村有吊橋爆破事件・・・・・・・・・・・・・・・・62

た行

対向犯・・・・・・・・・・・・・・・・・・・・・・・・・・195
大洋デパート事件・・・・・・・・・・・・・・・124
打撃の錯誤・・・・・・・・・・・・・・・・・・・・・・・94
他人の行為の介入・・・・・・・・・・・・・・・・28
たぬき・むじな事件・・・・・・・・・・・・・104
単純一罪・・・・・・・・・・・・・・・・・・・・・・・・206
致死量・・・・・・・・・・・・・・・・・・・・・・・・・・148
着手後の離脱・・・・・・・・・・・・・・・・・・・・193
着手未遂・・・・・・・・・・・・・・・・140, 142, 144
チャタレー事件・・・・・・・・・・・・・・・・・102
注意義務・・・・・・・・・・・・・・・・・・・・・・・・122
注意義務違反・・・・・・・・・・・・・・・・・・・・・96
中止行為・・・・・・・・・・・・・・・・・・・137, 143
中止犯・・・・・・・・・・・・・・・・・・・・・137, 190

事項索引

中止未遂 …………………… 136, 140, 145	武器対等の原則 ……………………… 53
抽象的危険犯 ………………………… 175	福岡県青少年保護育成条例事件 ……… 4
抽象的事実の錯誤 ……………… 93, 98	不作為の因果関係 …………………… 34
抽象的符合説 ………………………… 98	不作為の幇助 ………………………… 188
超法規的違法性阻却事由 ……… 72, 74	不作為犯 ………………………… 22, 204
超法規的責任阻却事由 ……………… 129	不真正不作為犯 ………………… 22, 172
追撃行為 ……………………………… 49	不真正身分犯 ………………………… 182
伝統的過失論 ………………… 115, 117	不能犯 …………………………… 146, 149
同意傷害 ……………………………… 69	部分的犯罪共同説 …………………… 187
東海大学安楽死事件 ………………… 70	併合罪 …………………………… 197, 199, 200
動機説 ………………………………… 89	米兵ひき逃げ事件 …………………… 26
道　具 ……………………………… 154	弁護活動 ……………………………… 42
同時傷害の特例 ……………………… 166	片面的幇助 …………………………… 179
東大ポポロ事件 ……………………… 72	防衛行為の妥当性 …………………… 53
盗犯等防止法 …………………… 56, 60	防衛の意思 …………………………… 50
徳島市公安条例事件 ………………… 2	──の否定 ………………………… 47
特別の規定 …………………………… 112	防衛の程度 …………………………… 170
	法益の権衡 …………………………… 52
な行	法益保護義務 ………………………… 173
永山事件 ……………………………… 213	包括一罪 ………………………… 199, 206
名古屋中郵事件 ……………………… 40	報告義務違反罪 ……………………… 204
二重の絞り論 ………………………… 8	幇　助 ……………………………… 194
二分説 ………………………………… 59	──の幇助 ………………………… 176
認識説 …………………………… 51, 89	幇助行為 ……………………………… 175
練馬事件 ……………………………… 159	幇助犯 ………………………………… 160
	法定的符合説 …………………… 94, 185
は行	──の一故意犯説 ……………… 95
場所的適用範囲 ……………………… 14	──の数故意犯説 ……………… 94
反撃行為 ……………………………… 49	法的安定性 …………………………… 9
犯罪共同説 ……………… 162, 166, 187	報道の自由 …………………………… 45
犯罪防止義務 ………………………… 173	法律主義 ……………………………… 9
反対解釈 ……………………………… 211	法律的事実の錯誤 ……………… 107, 109
判例の法源性 ………………………… 9	法律の委任 …………………………… 7
被害者の承諾 ………………………… 72	法律の錯誤 ……… 103, 104, 107, 109, 110
被害者の特殊事情 …………………… 30	北大電気メス事件 …………………… 114
非広汎性の原則 ……………………… 5	保護法益 ………………………… 133, 181
必要的共犯 …………………………… 194	補充性の原則 ………………………… 4
非難可能性 …………………………… 82	補充の原則 ………………………… 62, 64

保障人的地位 …………………… 172	免　訴 …………………………… 16
保全法益 ………………………… 53	目的説（意図説）……………… 51
没　収 …………………………… 99	

ま行

や行

舞鶴事件 ………………………… 74	指詰め …………………………… 69
丸正名誉毀損事件 ……………… 42	要素の従属性 …………………… 153
未遂犯 …………………………… 149	予見可能性 ………… 114, 116, 125, 165
──の処罰根拠 ……………… 132	予見義務 ………………………… 125
見張り …………………………… 160	予測可能性 ……………………… 11
未必の故意 ……………… 23, 25, 89, 94	

ら行

身　分 ……………………… 180, 181	略式命令 ………………………… 200
身分犯 …………………………… 180	両罰規定 ………………………… 18
むささび・もま事件 …………… 105	類推解釈 …………………… 10, 13
明確性の原則 ………………… 2, 5	──の禁止 …………………… 10
免責規定 ………………………… 57	

主な参考文献は以下の通りである。

```
刑法判例百選Ⅰ総論〔第4版〕（有斐閣）
曽根威彦・日高義博編『基本判例5刑法総論』（法学書院）
前田雅英『最新重要判例250刑法第4版』（弘文堂）
大谷實編『判例講義刑法Ⅰ総論』（悠々社）
ジュリスト重要判例解説（有斐閣）
法学教室判例セレクト（有斐閣）
```

──────[執筆者紹介]──────

清水　洋雄	（秋田経済法科大学教授）	*No. 1 ～ No. 6 , No. 85 ～ No. 88*
野村　和彦	（日本大学インストラクター）	*No. 7 ～ No. 9*
辻本　衣佐	（明治大学講師）	*No. 10 ～ No. 11, No. 99 ～ No. 100*
中村　雄一	（秋田経済法科大学教授）	*No. 12 ～ No. 16*
岡西　賢治	（日本大学講師）	*No. 17 ～ No. 20*
鈴木　彰雄	（関東学園大学教授）	*No. 21 ～ No. 28*
山本　光英	（山口大学教授）	*No. 29 ～ No. 35*
武田　茂樹	（日本大学講師）	*No. 36 ～ No. 40*
船山　泰範	（日本大学教授）	*No. 41 ～ No. 47*
菊池　京子	（東海大学教授）	*No. 48 ～ No. 52*
後藤　弘子	（東京富士大学助教授）	*No. 53 ～ No. 58*
前原　宏一	（札幌大学助教授）	*No. 59 ～ No. 63*
南部　篤	（日本大学専任講師）	*No. 64 ～ No. 70*
小林　敬和	（高岡法科大学教授）	*No. 71 ～ No. 77*
水野　正	（日本大学講師）	*No. 78 ～ No. 84*
小針　健慈	（日本大学講師）	*No. 89 ～ No. 92*
只木　誠	（中央大学教授）	*No. 93 ～ No. 98*

────〔執筆順〕────

ケイスメソッド　刑法総論

2003年3月20日　第1版第1刷発行

編 者　船　山　泰　範
　　　　清　水　洋　雄
　　　　中　村　雄　一

発行　不　磨　書　房
〒113-0033　東京都文京区本郷6-2-9-302
TEL(03)3813-7199／FAX(03)3813-7104

発売　㈱信　山　社
〒113-0033　東京都文京区本郷6-2-9-102
TEL(03)3818-1019／FAX(03)3818-0344

制作：編集工房INABA　　　印刷・製本／松澤印刷
ⓒ著者，2003 Printed in Japan

ISBN4-7972-9073-0 C3332

不磨書房

導入対話による刑法講義（総論）【改訂新版】　9214-8　■2,800円（税別）
新倉 修（青山学院大学）／酒井安行（青山学院大学）／高橋則夫（早稲田大学）／中空壽雅（関東学園大学）
武藤眞朗（東洋大学）／林美月子（神奈川大学）／只木 誠（中央大学）

導入対話による刑法講義（各論）　9262-8　★近刊　予価 2,800円（税別）
新倉修（青山学院大学）／酒井安行（青山学院大学）／大塚裕史（岡山大学）／中空壽雅（関東学園大学）
信太秀一（流通経済大学）／武藤眞朗（東洋大学）／宮崎英生（拓殖大学）
勝亦藤彦（海上保安大学校）／北川佳世子（海上保安大学校）／石井徹哉（奈良産業大学）

導入対話による刑事政策講義　9218-0　★近刊　予価 2,800円（税別）
土井政和（九州大学）／赤池一将（高岡法科大学）／石塚伸一（龍谷大学）／
葛野尋之（立命館大学）／武内謙治（九州大学）

導入対話によるジェンダー法学　監修：浅倉むつ子
阿部浩己（神奈川大学）／林瑞枝（駿河台大学）／相澤美智子（東京大学）／浅倉むつ子（都立大学）
山崎久民（税理士）／戒能民江（お茶の水女子大学）／宮園久栄（東洋学園大学）／堀口悦子（明治大学）
武田万里子（金城学院大学）　9268-7　■本体 2,400円（税別）

◇◇　法学検定試験を視野に入れた　ワークスタディ　シリーズ　◇◇

1　ワークスタディ　刑法総論（第2版）　定価：本体 1,800円（税別）
島岡まな（亜細亜大学）編／北川佳世子（海上保安大学校）／末道康之（南山大学）
松原芳博（早稲田大学）／萩原滋（愛知大学）／津田重憲（明治大学）／大野正博（朝日大学）
勝亦藤彦（海上保安大学校）／小名木明宏（熊本大学）／平澤修（中央学院大学）
石井徹哉（奈良産業大学）／對馬直紀（宮崎産業経営大学）／内山良雄（九州国際大学）　9074-9

2　ワークスタディ　刑法各論　定価：本体 2,200円（税別）
島岡まな（亜細亜大学）編／北川佳世子（海上保安大学校）／末道康之（南山大学）
松原芳博（早稲田大学）／萩原滋（愛知大学）／津田重憲（明治大学）／大野正博（朝日大学）
勝亦藤彦（海上保安大学校）／小名木明宏（熊本大学）／平澤修（中央学院大学）
石井徹哉（奈良産業大学）／對馬直紀（宮崎産業経営大学）／内山良雄（九州国際大学）
関哲夫（国士舘大学）／清水真（獨協大学）／近藤佐保子（明治大学）　9281-4

事例で学ぶ　刑法総論　吉田宣之 著（桐蔭横浜大学教授）9078-1　■予価 2,200 円

ドメスティック・バイオレンス　☆山川菊栄賞受賞
戒能民江（お茶の水女子大学教授）著　9297-0　本体 3,200円（税別）

みぢかな刑事訴訟法　河上和雄（駿河台大学）＝山本輝之（名古屋大学）編
近藤和哉（富山大学）／上田信太郎（香川大学）／津田重憲（明治大学）／新屋達之（立正大学）
辻脇葉子（明治大学）／吉田宣之（桐蔭横浜大学）／内田 浩（成蹊大学）
吉弘光男（九州国際大学）／新保佳宏（京都学園大学）　9225-3　■予価 2,200 円　【近刊】